朝日新書
Asahi Shinsho 920

新しい戦前

この国の〝いま〟を読み解く

内田　樹
白井　聡

朝日新聞出版

まえがき

白井　聡

内田樹さんと対談の本をつくるのは、これで三冊目となりました。最初の対談本、『日本戦後史論』が出たのが、２０１５年のことなので、早いものでもう10年近くお付き合いをさせていただいていることになります。

その間、私の見るところ、日本の世相は根本的には変わっていません。私が２０１３年に上梓した『永続敗戦論』で指摘した核心的問題は何一つ解決されず、むしろその病理がますます表面化しています。その行き着く先は、さらなる統治の崩壊と戦争であろうと私は確信しています。その諸層については、本論で具体的に討議しておりますので、どうぞお読みください。

内田さんと私との間でおそらくは完全に意見が一致しているのは、「そう簡単には立て直せない」ということだと思います。そこまで日本の国家と社会の劣化はきてしまいました。ある席で内田さんは、「これまで70年ほど生きてきたけれど、今の日本は間違いなくその間で最悪の状態」とおっしゃっていました。私も45年間生きてきてまったく同じように感じているわけですが、「やはりそうなのか」と思わず深く頷《うなず》きました。

かといって、「これはどうしようもない」と言って何もしないわけにもいきません。では何から始めるべきなのか？

私の見るところ、いま「空間」をめぐる反逆が静かに、少しずつ始まっています。どういうことか？

2000年代以降、いわゆるネオリベラリズムの日本への本格的な浸透が始まりました。構造改革、規制緩和、民営化、競争原理、選択と集中、トップダウン型改革、等々……ネオリベのクリシェはこの四半世紀に洪水のごとくあふれかえってきましたが、ネオリベ化がすでに長きにわたり進行したいま、その本質はこれらの効率化や合理化をめざした政治経済の政策指針に尽きるものではない、ということがはっきりしてきたのではないでしょうか。

私はこれまで、『武器としての「資本論」』や『マルクス――生を呑み込む資本主義』といった著作によって、ネオリベ化が人間の主体性の次元、すなわち物の観方、感じ方、価値観といった人間の《魂》の次元へと浸透し、人間の存在全体を資本主義の原理が「包摂」（マルクス）するようになることに注目してきました。

いま気づかされているのは、ネオリベ化が発生した重要な次元として、「空間」を挙げなければならない、ということです。人間の精神も具体的な空間によって形成されます。近代資本制社会の始まりに一種の「空間革命」があったことを指摘したのは、やはりマルクスでした。『資本論』の名高い「本源的蓄積」の章が主題的に取り上げたのは、イギリスにおける「エンクロージャー＝囲い込み」の過程とその歴史的意味でした。まさにそれは、農村共同体における共有地という空間を「囲い込み」、私有化し、商品生産の過程に巻き込み、それによって農村共同体の崩壊（ならびに浮浪する無産者＝プロレタリアート）をもたらしたのでした。

　この空間革命は、形を変え、ネオリベ化によって推進力を得ます。少し注意して街を歩いてみるだけでわかると思うのですが、入場料なり何か買うなりといったかたちでお金を支払うことなく寛《くつろ》ぐことのできる空間は、この四半世紀の間に激減しました。あらゆる空間が「稼げる空間」へとつくり変えられてきたのです。当然、支払い能力のない者は、そこから排除されます。

　そうした空間再編の大規模な事例を挙げるなら、いま大問題となっている神宮外苑の再開発に代表される都市の「大規模再開発」は、その地に積み重なってきた歴史の地層を洗い流し、空間の商品価値を能《あた》う限り高めようとする企てにほかなりません。もっとも、そんなことをやってしまえば、どこもかしこも平板で凡庸きわまる金太郎飴式の同じような商業空間が広がることになり、長期的には商品価値も失われるだけなのですが。

　大学も代表的事例です。この四半世紀の間、自治寮やサークル・スペースは、大学当局の強権によって廃止・縮小、あるいは少なくとも管理強化されてきました。かつてのキャンパスを彩っていた各種のサークル等が掲出するビラ・立て看板は、「美観を損なう」という理由により規制されるようになり、すっかり姿を消しました。その結果、学生たちを襲っているのは、一種の精神的危機です。確かに、キャンパスは、政治セクト、カルト宗教、正体不明の学外者の闊歩などが「浄化」され、「安全安心」の空間になりました。しかし、そうなった瞬間に、若者たちは途方もない閉塞感に苛《さいな》まれるようになったのです。

これらの現象を貫いている原則は、公的空間か私的空間か、あるいは公共物であるか私有物であるか曖昧な空間を、私的なものへと定義し直し、徹底的な管理対象とすることです。当然、ホームレスの排除の徹底化なども、この現象に含まれます。曖昧な空間に線を引き、線の内側には「部外者立ち入り禁止」と大書した看板を立て、チリ一つないように管理する。こうしたやり方が、最大限の収益につながると考えられているわけです。そしてそのとき、ある空間から最大の利益をあげることは空間を最も有効に活用することと同義であると、自明であるかのごとくに考えられています。

私たちの生きる時代の壊れ、貧しさ、不幸は、このように空間の貧困化に現れ、そしてまた逆に、貧しき空間が不幸な精神をつくり出します。そうしたなかで、空間をめぐる反逆が生じてきていると私が見なすのは、たとえば今日の大学で、ますます高度化する資本主義から「降りる」若者たちが現れてきているためです。彼らは、飲酒が禁止されたキャンパスで飲み会をやってみたり、ナンセンスなスローガンが書かれた立て看板を立てたりします。それらは単に奇矯な行為に見えるかもしれません。しかし、それはかつてのような学生の政治運動とは外見上異なるものの、全共闘時代のトラウマから偏執狂的な管理体制を築き上げ脱政治化されてきた今日の大学に対する明確な異議申し立ての意識に裏打ちされており、豊かな空間をいまここで取り戻す行動であるように見えます。そしてもちろん、より年長の人々によって担われている神宮外苑の再開発に対する抗議運動なども、空間をめぐる戦いにほかなりません。

このような光景が広がる現代において、内田樹さんこそ、まさに空間の組織者の元祖であることに、私はあらためて気づかされました。言うまでもなく、それは凱風館主宰者としての内田さんです。内田さんの道場（合気道）、凱風館がどのような志を掲げて始められ、どのような活動をしているかについては、多数の著作において自ら語られていますので、ここでは言及しません。人が生き、活動する場としての空間がますます劣化し、貧しくなるなかで、豊かな空間をつくり出し維持する活動に、内田さんは熱心に取り組んできたように私には見えます。

否、「熱心な」というのは的外れであるのかもしれません。内田さんは、どちらかと言えば飄々と、また穏やかかつ朗らかに、自らも大いに楽しみながら、自分の城を多くの人に開かれた空間として発展させてきたのだろうと私は推測します。

それは地道ではあるけれども、しかし同時に、その効果を確信できる取り組みであるはずです。おそらく、こうした取り組みからしか、「立て直し」は始まらないのではないか、といま私は思います。空間に人々が集い、寛ぎと自己鍛錬のなかで共生の作法が学ばれ、成熟する。そうした豊かな空間をつくり直すところにしか、いま希望は見出せないのではないか。

本書の対話が、読者の皆さんにも何ができるか、ヒントとなることを心から願います。多くのことを教えてくださった内田さんに、そして本企画を立案し、まとめてくださった朝日新聞出版の松尾信吾さんに深く感謝申し上げます。

新しい戦前　この国の〝いま〟を読み解く

目次

まえがき　3

第1章　「戦争できる国」になるということ

「新しい戦前」どころか「新しい戦中」…16　反応なき安保政策大転換…19　台湾有事を先送りする米中…23　敵基地攻撃能力の実像…26　米軍基地撤収が有事のシグナル…30　「植民地・日本」の政治課題…35　「面従腹背」を忘れた政治家たち…37　戦後一貫して警戒される国…40

第2章　凋落する覇権国家の行方

海底ガス・パイプライン爆破事件…44　ロシアへの経済制裁は有効か…48　ウクライナ戦争の展望…51　ポスト・プーチンの恐怖…58　ウクライナ戦争はアメリカの「陰謀」か…62　「不義の戦争」による不信の必然…66　戦争に備えるふりをする日本…71　中国外交の成功と欧米内政の失敗…74　没落する国家と共倒れしないために…78

第3章　加速主義化する日本政治

安倍晋三の妄想とカリスマ性…86　「評価の数値化」の悪影響…90　自民党は心が広いのか、狭いのか…94　食えない「オヤジ政治家」たち…97　〝底の浅い〟政治の進行…100　「維新躍進」の背景にある「加速主義」…106　「モラル・ハザード」の蔓延…111　国会の威信を劣化させた〝罪深さ〟…114　ねじれた日本人の反米感情…118　「改憲詐欺」に引っかかる愚かさ…123　「人口減」を止められるのか…128　日韓の喧嘩は全くむなしい…133

第4章　「自分らしさ」と「多様性」の物語

アメリカは内部崩壊している…140　左派アカデミーの不可解な分類癖…143　銃乱射事件の深刻な背景…148　「多様性」「個性」というステレオタイプ…150　対立する「自分探し」と「修行」…158

第5章　日本社会の何が〝幼稚〟か

本当の「学力」とは何か…166　大学にはびこる「孤立のテクノロジー」…171　「合宿」のすすめ…174　器の大きい〝ロールモデル〟なき時代…176　キャラ設定は呪縛になる…179　「メタメッセージ」が失われている…182　論破の先に知的成熟はない…188　「他者の視線」を過剰に気にする子どもたち…191　社会は〝じわり〟と変わるもの…195

第6章　「暴力」の根底にあるもの

安倍元首相銃撃と岸田首相襲撃事件…198　政治的テロリズムと呼べない理由…202　社会には常に「怪物」がいる…206　「有名になりたい」という欲望…210　「承認渇望症」という社会的な病…214　〝シカトされない〟ための努力?…217　「体育座り」の罪…221　自己防衛の果てに壊れる若者たち…223　ニヒリスティックな教師の必要性…228　「連帯して、戦うんです」…233　アジール（避難所）を作ろう！…235

第7章　この国はどこへ向かうのか

未来を先取りしている？……240　選挙で勝つのは〝詐欺師〟ばかり……243　日本から「勇気」が消えてしまった……247　意気地なしの民放はつぶれる……252　新聞も末期症状……255　煽ることしかできないマスメディア……259　メディアや知識人の大事な仕事とは？……262　人間的ネットワークが足りない記者たち……266　共産党のジレンマは日本のジレンマ……268　分派は革命党の永久のパラドックス……271　野党共闘より政界再編……274　地方政治から変えていく……277　「革新自治体」でプレッシャーを……280

あとがき　282

構成　高橋和彦

第1章

「戦争できる国」になるということ

「新しい戦前」どころか「新しい戦中」

白井　2022年の年末、タレントのタモリさんが「徹子の部屋」（テレビ朝日系）で言った「新しい戦前」が話題になりました。今日の日本の政治状況や人々の心配をうまく言い表したとは思いますが、2023年は戦前ではなく、ほとんど戦中になっているのかもしれません。

声高に叫ばれているのは、台湾有事の可能性です。不可避だとさえ言われています。特に米軍やCIA（中央情報局）が2025年、2027年などと具体的な年限を挙げてきている。シンクタンクは、開戦したらどうなるかのシミュレーションを公表したりしています。つまりアメリカの中で、極東で戦争を作り出したい勢力がかなり活発に動いていると推測できます。

ウクライナを見よ、なんですね。一種のウクライナ・モデルができている。あそこで何が起きているのか。アメリカからすると、要するに代理戦争です。自分たちはなるべく犠牲を出さずに、むしろ利益を上げながら敵対的な大国・ロシアの力を削いでいるわけです。

これがうまくいけば、次は中国、東アジアでも応用しようということになってくる。代理戦争の場は台湾と日本です。いわゆる岸田大軍拡はそのシフト、アメリカのために出てきたものと解釈すれば整合的です。

一応、岸田文雄首相が主導していることにはなっていますが、岸田文雄という固有名詞はほとんどうでもいい。もともと防衛費の大幅な増額は安倍晋三元首相が言い出したことです。高市早苗衆議院議員がそれを受け継ぎ、岸田さんと争った2021年9月の自民党総裁選で盛んに主張していました。安倍さんは高市さんをバックアップしたけれども、高市さんは極端すぎると見られ、穏健に見える岸田さんが総理総裁に選ばれました。

しかし今となっては何のことはない。岸田さんは、安倍さん、高市さんの言っていたことを実行しているだけです。言い出しっぺの安倍さんはこの世にいないのに、大軍拡が粛々と進んでいく。これはどういうことなのか。3人の主体がいるように見えるけれども、実は誰もいなくて、全員が金太郎飴、操り人形です。ですから、2022年12月に岸田政権が閣議決定した新しい安保関連3文書（国家安全保障戦略、国家防衛戦略〔現 防衛計画の大綱〕、防衛力整備計画〔現中期防衛力整備計画〕）はアメリカとの綿密な打ち合わせ、調整、擦り合わせのもとに出てきたことは確実なのです。

いま喧伝されている台湾有事はどのぐらい大きなものになり得るか。可能性としては、端的に言って、核戦争、日本が水爆を落とされるところまであると思います。それはなぜか。

台湾有事はアメリカと中国の覇権闘争、ちょっとした利害の小競り合いではない、ヘゲモニーを争う大決戦として戦われる可能性がある。20世紀には二つの世界大戦を通じて、覇権国はイギリスからアメリカに移りました。世界史上、覇権国の交代は大きな戦争を通じて行なわれてきた場合が多いわけです。それは、部分的な利害対立ではないから、落としどころを見つけがたいためかもしれません。ゆえに、アメリカから中国にヘゲモニーが移るとすれば、大きな戦乱なしにそれが生じうるとは考えにくいのです。

そのとき問題になるのは、いわゆる核抑止力が働くかどうか。核抑止とは、自分が核兵器を使ったら相手もこっちへ必ず使ってくるので、それは耐えがたい苦痛をもたらすからやめておこうというものです。日本は核兵器を持っていないわけですから、この核抑止を担うのがアメリカによる核の傘だとされているわけです。

では、中国が日本に核攻撃をしたとして、アメリカがその報復として中国に核攻撃をするのか。アメリカは、それをやったら次は中国がアメリカ本土に核兵器を飛ばすだろうと考える。つまり、日本への核攻撃だけなら、アメリカは中国に対して核攻撃をできません。これは逆に言えば、日本に対しては中国がいわば安心して核兵器を使うことができるというわけで、核抑止が働かない構図になるわけです。

この話は別に空想的でも何でもない。日本政府自身がその可能性を認めて、今、米軍基地や自衛隊基地に対する大量破壊兵器、つまり核兵器だけではなく化学兵器や生物兵器による攻撃に対する防衛策をいろいろと進めつつあります。新しい安保関連3文書を出したからには、日本政府は核攻撃されるかもしれない可能性を視野に入れています。

これが今日の政治状況です。だから戦前というよりも限りなく戦中に近づきつつあります。しかも、確たる国家意思によってこうした状況を招いたわけではなく、思考停止の対米従属でこうなっているわけです。それをこの社会はどう認識しているのか。ほとんど無批判に大軍拡が進んでいる。まさに生ける屍、既に死んでいるというのが2023年の日本の光景です。

反応なき安保政策大転換

内田　戦後日本の安全保障戦略の大転換があって、軍事費も突出し、敵基地攻撃能力（反撃能力）まで言い出した。明らかに「戦争ができる」方向にシフトした。にもかかわらずメディアは反応しないし、国民もなにごともないようにぼんやり暮らしている。どうしてこうも無関心でいられるのか。政策転換そのものよりも、政策転換にまるで反応しない日本人の方がむしろ深刻な問題だと思います。

この無反応は「自分たちは日本の主権者ではない」という無力感の現れだと僕は思います。自分たちが代表として選んだ議員たちが国会で徹底的に議論して、その上で決定した政策転換であれば、有権者たちはその政策決定にある程度の責任を感じるはずです。このような政策が採択されたことに「主権者として責任がある」と感じたら、それなりの反応をする。けれども、白井さんが言うとおり、これは全部アメリカが決めたシナリオです。岸田首相だって記者から

「どうして戦後70年以上続いた安全保障政策をいきなり転換するのか」と訊かれても答えられない。「だって、アメリカが『そうしろ』って言ったから」だとはさすがに言えない。だから、政策転換には必然性があったと、いくら彼がぼそぼそ答弁しても、それは全部「空語」であるし、空語であることを本人も国民もみんな知っている。これは日本が、自分たちの国益を最大化するために発議した政策転換じゃないということはみんな知っている。アメリカに言われたからしている。トマホークやF－35を買うのもアメリカの指示に従ってのことだし、軍事費をGDP（国内総生産）の2％にするのもNATO（北大西洋条約機構）と同じ数字に合わせろとバイデン大統領に言われたので、それに従っている。

アメリカに鼻面を引きずり回されて国家戦略の方向転換を強いられているのに、これほどメディアも国民も無反応なのは、何よりも「ホワイトハウスの意向に迎合する政権が安定政権だ」ということを刷り込まれているからです。アメリカの言うことを聞いてさえいれば、自民党の長期政権は保証される。自国の国益よりもアメリカの国益を優先的に配慮する政権なのですから、アメリカとしては未来永劫自民党政権が続いて欲しいと願っている。アメリカの外交問題評議会が発行している「Foreign Affairs」を読んでいると、その思考回路はよくわかります。アメリカの保守論壇では安倍、菅（義偉）、岸田政権は非常に高い評価を得ています。安倍首相は一時期、米紙「ニューヨーク・タイムズ」からその過剰なナショナリズムがアジアの地政学的安定を乱すと手厳しく批判されましたが、総合点では、アメリカからは一貫して高い評価を得ていました。

長期政権を保ちたければアメリカから高く評価されなければならない。これは中曽根（康弘）、小泉（純一郎）、安倍政権が日本人に教え込んだ教訓です。日本人はみんな知っている。だから、岸田政権がアメリカのシナリオの通りに動いているのを見ても、「ああ、これで岸田政権も当分安泰だな」としか思わない。政策そのものの適否ではなく、それがアメリカのシナリオ通りかどうかだけしか見ていないのです。政策そのものにどういう意味があるのか、日本の国益に資するのか、国益を損なうリスクがあるのか、という本質的な問いに日本国民はもうずいぶん前から興味を失っている。

日本には自前の国防戦略がありません。日本の政治家が、自分の頭で考えて、自分の言葉で、日本の安全をどう守るか真剣に語るということをもう国民は誰も期待していない。政治家たち自身が国防について考える習慣がないから仕方がないのです。いくら真剣に国防について考えても、どれほど適切な政策を提示しても、米軍が「ダメ」と言ったらそれで却下されるんですから。それだったらはじめから米軍が喜んで許可するような政策を起案した方が無駄がない。そういうことを70年以上やってきた。

はっきり言いますけれど、今の日本の政治家には日本の安全保障について自前の戦略を考える能力も意思もありません。そのことを日本国民は知っている。与党政治家は自分たちの政権の延命、自分の利権のことしか考えていない。それに比べると、ホワイトハウスの「ベスト&ブライテスト」たちはもう少し巨視的に世界戦略を考えているはずである。だったら、あちらさんに丸投げした方がまだましなんじゃないか。

確かにアメリカの安全保障戦略は洗練されています。こういう場合もあるし、こういう場合もあるしと、いろんなシナリオを考えている。とりわけアメリカ人は「最悪の事態」を想定して、それに対してどう対処するかという思考実験が好きです。これは日本の政治家が決してやらないことです。

そういう彼我の違いを見せつけられると、日本の政治家や官僚が自分の頭で安全保障戦略を作り上げるより、ホワイトハウスから降ってくる国防戦略を鵜呑みにしているほうが安全なんじゃないかと思えてくる。日本の国民はいつの間にか自国の政治家たちよりもホワイトハウスのエリートたちの知性の方を当てにするようになってしまった。

白井　日本人は日本の政治家にそもそも期待していない。それと同時に自分自身にも期待していないのではないですか。まさに日本人は生きる屍化している。これだけの安全保障戦略の大転換に対してほとんど反応しないのですから。

つまり、もう来るべきものがきたのです。拙著『国体論―菊と星条旗』（集英社新書、201

8年）に書いたように、戦後日本はアメリカを天皇のごとくいただいて、アメリカに愛されているんだとやってきました。戦前の大日本帝国では、天皇陛下が愛してくださるという恩に対して、「陛下の赤子」たる日本国民は、一朝事あらば命で恩返しする、天皇陛下のために死ぬという義務がありました。

戦後の日本人はどうするのか。ありがたいアメリカの恩をいつ、どうやって返すのか。アメリカがピンチの時にアメリカのために死ねるのか。そうした問いに対しては「憲法9条というものがありまして……」などと言ってずっと逃れてきたわけです。ずいぶん都合のいい話ですが、いよいよそのご都合主義がもたなくなってきた。今まさに「アメリカの覇権を無限延長するために喜んで死ねるよな？」と、いわば究極の問いが突きつけられています。

しかし、戦後の日本にとってのアメリカも、大日本帝国の天皇と同じように本当は空虚な「国体」です。その空虚さに日本人はもう耐えられなくなっている。だから物事を考えるのも嫌だし、何が起きているのかを認識するのも嫌だという、ひどい精神状態になっているのでしょう。

台湾有事を先送りする米中

内田　先ほど白井さんがおっしゃったように、台湾有事の可能性はあると思います。でも、中国軍が台湾を武力侵攻した場合に、アメリカが台湾を守るかどうかはわからない。台湾を見捨てるという可能性もあります。アメリカは台湾と軍事同盟を結んでいるわけではないし、大使館も置いていない。

でも、仮に台湾有事が拡大して、日本国内の米軍基地が攻撃された場合はそうはゆきません。日本を守るために中国との全面戦争に踏み切るかどうか、アメリカの国内世論は割れるでしょう。共和党支持者たちは「アメリカ・ファースト」を掲げて戦争へのコミットメントに反対する可能性がある。

でも、日本を守るために米軍が出動しなければ、それは日米安保条約が空文だったということを意味します。これは日本国内には劇的な影響をもたらします。日本人が安全保障について考えてこなかったのは「アメリカが自分たちに代わって考えてくれる」と信じていたからです。それがいきなり梯子を外されて「あとは自分たちで何とかしろ」と言われたら、日本人は困惑するより激怒するでしょう。じゃあ、これまで70年間の対米従属は何だったのか。長い間高額の「みかじめ料」を取っておいた「用心棒」がいざ「出入り」となったら「あとはよろしく」と逃げだすようなものですから。そんな身勝手が許せるはずがない。日米安保条約は空文だったということになれば、これまでの心理的抑圧のふたが外れて、今度はいきなり「鬼畜アメリカ許すまじ」という「攘夷」世論が噴き上がる。これはかなりの確度で予言できる。日本が

「反米」に振り切ったら、これはアメリカにとっては怖いです。これまでへらへら従属してきた属国が宗主国に牙を剥いてくるわけですから。

それに日本が見捨てられたら、その時は当然韓国にも対米不信が感染します。米韓相互防衛条約も空文ではないかと疑うようになる。東アジアにおけるアメリカの友邦である日本と韓国とアメリカとの信頼関係が事実上終わってしまう。他のアジアの親米的な国々も、「アメリカはいざと言うときに当てにならない国だ」と思うようになる。そうなると、アメリカの西太平洋戦略の基礎が崩壊する。「アメリカは巨視的で行き届いた世界戦略を有しており、わが国の安全保障も配慮してくれている」という信頼がその基礎だったわけですから。

台湾有事の取り扱い方を間違えると、アメリカは19世紀から営々として築いてきた西太平洋の勢力圏を失うリスクがある。アメリカは西太平洋を失いたくはない。でも、中国と全面戦争をしたくもない。アメリカはどちらも嫌なんです。そのためには何があっても台湾有事はあってはならないということになる。

ですから、今のアメリカにとって、対中国の最も合理的な解は「できる限りの譲歩をして、中国をなだめる」というものになる。僕はそう思います。アメリカはとにかく時間稼ぎをしようとするでしょう。「台湾問題は難しいから、解決は急がずにもうちょっと先送りしませんか」と中国をなだめる。中国は、ご存じのとおり、問題の先送りということをあまり厭わない国ですからね。

白井　たとえば、有名な実例は、尖閣諸島問題に対する鄧小平の棚上げ論ですね。「今は話さないほうがいい。次の世代が我々よりもきっと賢くなって、よい方法を見つけるでしょう」などと1978年に来日した時に言いました。

内田　国境問題について言うと、「あいまいなままにしておく」というのは中国の政治文法としては伝統的なものなんです。「一国二制度」というのは、中華帝国の辺境においては、ごくふつうのあり方だった。香港もマカオももともとそうなんです。国境線をうるさく言い立て、「辺境」に中央政府が実効支配に乗り出そうとする習近平の方がむしろ中国の政治的伝統からすると「異端」です。

敵基地攻撃能力の実像

白井　中国の話はまたあとで戻ることにして、まず、アメリカは台湾有事でどうするのかという議論を深めましょう。内田さんが今、おっしゃったシナリオは最も合理的に見えて、確かにそうかなという気がします。

しかし他方で、とにかくアメリカはいろいろな可能性を検討し、必要な時に必要なシナリオを選べるように事前に仕込んでおくということをする国だと思うのです。この観点から見ると、日本が敵基地攻撃能力を持ち、事実上の先制攻撃をできるようにしたのは、非常に大きな意味を持っていると思われます。

どういうことか。日中でドンパチが始まった時にはアメリカが助けに来るはずである。来ないと「同盟国を見捨てるのか」という話になるから確かに大変なことになります。けれども、アメリカは助けないという選択肢を取れるようにしておきたいのです。どうしたらそれができるか。手を出した日本に正当性はないという状況を作ればいいわけです。

日本政府は敵基地攻撃能力を反撃能力と言い換えました。そして、「今まさに敵国が我々に向かってミサイルを発射しようとしている。その攻撃を阻止するために我が方が先にミサイルを飛ばすなりして破壊するのはあくまで反撃で、防衛のうちだ」と言っています。つまり、先制攻撃でも専守防衛になると。

確かに理屈としてはそう言えるかもしれません。けれども、この政府見解には明らかに無理があります。今まさに発射しようとしているのをどうやって知るのかという大問題があるからです。

結局、その情報はアメリカに全面的に依存することになります。つまりアメリカは、日本に対して本当のことを教えることもできるし、間違ったことを教えることもできるわけです。仮に本当のことを教えたとして、「今まさにミサイルを発射しようとしているぞ」とアメリカから教えられ、日本が敵基地を攻撃したとします。当然、敵国は「不当な先制攻撃だ」と猛反発します。日本は「お前たちがミサイルを発射しようとしていたのだから正当な防衛だ」と主張する。敵国は「そんなことはしていない、証明しろ」と言ってくる。日本は客観的証拠を持っているアメリカに「出してくれ」とお願いする。そのときアメリカは、その証拠を出すこともできるし、出さないこともできます。

つまり、アメリカは梯子をかけて先に日本を上らせて、後から一緒に上ることもできるけれども、スパッと梯子をはずして知らん顔もできるわけです。「日本が勝手に国際法違反の先制攻撃をしただけで、そんな国を助ける義理はない」と言えるオプションを、アメリカは日本の新しい安保関連3文書、それに基づく岸田大軍拡を通じて仕込んだのではないでしょうか。

内田 なるほど、それは面白い仮説ですね。日本が勝手に国際法違反をしたということになると、日米安保条約を発動する責任はまぬかれることができる。そうですね、アメリカの賢い軍略家ならそれくらいのことは考えるかも知れない。

でも、仮に日本が国際法違反の先制攻撃をした場合でも、敵国から反撃してくる場所はどこかという問題があります。どこにミサイルが飛んで来るのか。当然ながら、本気の戦争だということなら、ミサイルが飛んでくるのは非戦闘員がいるところではなく、まずは米軍基地です。戦争なら当然反撃戦力が集中している米軍基地を叩く。でも、当然そこにはアメリカ市民がいる。米軍基地が攻撃されたときに、米軍兵士だけでなく、その家族や関係者を含めてアメリカ市民から多数の死傷者が出るということになると、これは「日本が勝手に始めた戦争だから、オレたちは知らない」と言い抜けるわけにはゆきません。反撃せざるを得ない。米軍基地が攻撃された場合には「梯子をはずす」という手は使えない。

日本にミサイルが撃ち込まれたのだが、なぜか米軍基地だけは標的から除外された……という複雑怪奇なシナリオもあり得るかも知れません。自衛隊基地や大都市や原発にミサイルを撃ち込んで、日本人だけを殺傷するのだが、米軍基地には手を出さない。でも、そのシナリオが成り立つためには「その国とアメリカで事前に話がついている」ということが前提になります。でも、さすがにそこまで手の込んだことをして日本を破壊するインセンティブはアメリカにはないと思います。

日本が偶発的にどこかと戦争を始めてもアメリカに累が及ばないためにどうすればいいか。答えは簡単です。「日本列島から米軍基地を撤収すること」です。このシナリオはもうだいぶ前から検討されているはずです。岸田政権に軍事予算を上げさせて、大量の兵器を買い込ませ、南西諸島に防衛線を築かせているのは、あれは実は「アメリカのリトリート（退却）」プランの一部ではないかと僕は思います。日本国内の米軍基地を撤収して、米軍の対中国・北朝鮮の前線をグアム・テニアンのラインにまで下げるというプランはオバマの時代に検討されていました。

　安保法制の時も、今回の安保関連3文書でも、日本の左派・リベラルは「日本がアメリカの戦争に巻き込まれるリスク」だけに注目していますが、アメリカは「どうやって日本をアメリカの戦争に巻き込むか」を考えると同時に「どうやって日本の戦争にアメリカが巻き込まれないか」も考えているはずです。自国益を優先するなら、両方考えて当然です。

　万一台湾有事になり、日本国内の米軍基地が攻撃されたら、アメリカは中国との戦争にコミットせざるを得ない。その最悪の事態を回避するためには、できるだけ中国から遠いところまで米軍基地を下げて戦争に「巻き込まれる」リスクを下げることです。誰が考えてもそうです。

白井　純然たるウクライナ状態ですね。日本だけに代理戦争をさせて敵対的な大国・中国の力を削ごうというのですから。

米軍基地撤収が有事のシグナル

内田　アメリカの国益を優先したら、日本国内の米軍基地を全面撤収するのが「正解」なんですけれども、それが簡単にはゆかない。それは日本国内の大型固定基地が在日米軍の利権だからです。沖縄の基地のことを米軍はキューバに所有しているグアンタナモ基地と同じような「植民地」だと思っている。自分たちが血を流して戦って手に入れた土地だから自分たちのものだと思っている。グアンタナモ基地は米西戦争の時の「獲得物」です。もう100年以上米軍が占拠したままです。租借料は年額わずか3386ドル。キューバはずっと返還を求めて、租借料の受け取りを拒否していますが、米軍は返す気がない。グアンタナモ基地は国際法もアメリカの国内法も適用されないで、米軍法だけが適用される事実上の治外法権の空間です。だから、捕虜を拷問するような国際法違反をしても処罰されない。米軍にとってはたいせつな利権です。

沖縄基地も規模や程度は違いますが、本質的には「グアンタナモ基地化」している。沖縄では米兵が罪を犯しても日本の司法権が及ばない、ほとんど米軍の「租界」です。さらに基地の管理運営コストは日本政府が「思いやり予算」で潤沢に提供してくれる。こんな美味しい利権を米軍が手放すはずがありません。

しかし、その一方で、軍事は急速にAI化しています。これからの戦争はAIテクノロジー、ドローン、ロボット、さらにサイバー空間や宇宙空間にシフトしていきます。もう大型固定基地、巨大空母、有人戦闘機の時代じゃない。ホワイトハウスとしてはこういう古い軍隊を整理して、浮いた予算で軍事のAI化を進めたい。そうしないと中国とのAI軍拡競争に勝てない。

つまり、日本列島に米軍基地がない方が台湾有事を含めて「戦争に巻き込まれるリスク」は低減できる。AI軍拡という軍略のシフトとも整合する。中国とのネゴシエーションもし易くなる。どう考えても、在日米軍基地は「無用の長物」になりつつある。

すでに、ホワイトハウスは在韓米軍基地の規模を最盛期の3分の1に縮小し、戦時作戦統制権も韓国軍に返しました。朝鮮半島において「戦争に巻き込まれるリスク」を効果的に切り下げました。フィリピンのクラーク米空軍基地とスービック米海軍基地は、かつてはアメリカの海外最大の基地でしたが、これも1992年に返還されました。中国の東シナ海、南シナ海への進出に対抗して、フィリピン政府の要請でアメリカ海軍が一部駐留していますが、これもあくまでフィリピン政府の要請によってであり、いざという時にはたぶんそっと逃げ出すでしょう。

全体の文脈としては、西太平洋の米軍は「撤収」の方向にある。その中にあって、在日米軍基地だけが動こうとしない。この点について、ホワイトハウスと在日米軍の間には、かなりシリアスな葛藤があるのではないかと僕は思っています。

ご存じの通り、アイゼンハワー大統領が1961年の退任時に批判したように、アメリカには「軍産複合体」という巨大な利権団体があって、政府の国防政策に深く関与しています。しばしばホワイトハウスのめざす方向と軍産複合体のめざす方向の間には「ずれ」があります。軍産複合体としては、世界のどこかに軍事的な緊張があって、中強度の戦争が絶えず行なわれていることが、自分たちの存在理由を確かなものとするためにも、兵器産業の売り上げを確保するためにも望ましい。

軍産複合体はつねに軍事的緊張を望みます。世界が平和になってしまったら、軍隊には存在理由がなくなるし、兵器産業はマーケットがなくなってしまう。そうは言っても、アメリカが直接戦争の当事国になる事態は避けたい。よその国で、よその国民が殺し合う戦争が軍産複合体としては最も望ましい。

しかし、西太平洋で、今この軍産複合体の伝統的な考え方に従ってふるまうことは、リスクが高すぎます。中国との直接戦争が始まるリスクが高まりますから。だから、軍産複合体にとりすがっても、「それだけはやめてくれ」というのがホワイトハウスの本音でしょう。

とりあえず、米軍が偶発的な戦争に巻き込まれないためには、韓国と日本には「もう米軍基地がない」という状態が望ましい。これを実現するためには、現地軍の高度化が必要となる。米軍がいなくなっても、日韓は米軍がいるのと同じくらいの防衛力がある国になって欲しい。アメリカがさかんに日本に「兵器を買え」「基地を作れ」と言ってきているのは、そのためだと思います。

在日米軍は何があっても日本にある米軍基地利権を保持し続けたい。兵器産業は日本政府が兵器を山ほど買ってくれるなら別に在日米軍基地なんかなくても構わないと思っている。ホワイトハウスはグアム・テニアンの線まで米軍を下げたがっている。つまり、日本国内に大型固定基地を維持したいと願っているのは在日米軍だけということです。

でも、その在日米軍が日米合同委員会を通じて「米軍の意思」をあたかも「アメリカの国家意思」であるかのように日本政府に吹き込んでいる。だから、日本政府はアメリカがいったい自分たちに何をさせようとしているのかがよくわからないでいる。アメリカの国家意思と在日米軍のローカルな利権が日本においては混同されている。

でも、本当に台湾有事であれ半島有事であれ、危機が切迫してきたらアメリカは厚木や三沢基地からそっと航空機を撤収し、横須賀基地からそっと戦艦を撤収し、在日米市民をそっと帰国させる……ということをすると思います。在留市民の保護という名目で大艦隊を組んで市民を運搬し、その護衛に戦闘機を飛ばして、そのままグアムかハワイまで下がってしまう。そして、日本政府はそのときになってもまだ何が起きているのかわからない……。

白井　確かに米国内のアクター間にも相当な利害の相違、矛盾がありますよね。一説によれば、アメリカやイギリスは、ロシアがウクライナに侵攻する以前に、ウクライナに軍事顧問団を送ってウクライナ軍のグレードアップを図っていたそうです。けれども、ロシア軍が攻め込んで来るや否や、彼らは逃げ出したそうです。つまり、事実上NATO加盟国としてウクライナを扱っておきながら、正規の加盟国ではないから、いざ事が起こったら見捨てて逃げ出した。実は、日本とアメリカの関係はこれに近い。安保条約はあるけれど、NATOのような集団的自衛権に基づく厳格な共同防衛義務をアメリカは負っていません。ですから、米軍基地を日本からなくせば、日本をウクライナと実に似た状況に置くことになりますね。だからこそ、日本の外交防衛関係者は、何が何でも米軍の駐留を続けて欲しいと願っているようにも見えます。

「植民地・日本」の政治課題

内田　台湾有事がどう展開するかも、最終的には中国とアメリカの関係で決まるわけです。日本はその決定にはコミットできない。日本は「プレイヤー」ではなく単なる「駒」ですから。

白井　多くの日本人は、日本を「主体」だと勘違いしています。この問題においてあくまでも日本は「客体」です。

内田　今の日本政府はアメリカの戦略に従って動くこと以外何もできなくなっている。東アジアの地政学的布置を自分の構想に従って、自分の力で変化させるという気が日本政府にはない。アメリカに言われるままにするということを70年以上もやってきて、もうそれに慣れてしまっている。悲しい話ですよ。

白井　しかし普通なら客体でいるのはまずいと思うはずです。まずいと思わないのは、つまり依然として、主体だと思い込む勘違いを続ける能力にはすごく長けているということでしょう。この日本の精神状態は何なのでしょうか。

内田　僕の父や教師たちの世代、いわゆる戦中派は大日本帝国の臣民だった時代を知っています。彼らはかつて主権国家の国民だったことがある。大日本帝国は亡国的な政策を採って滅びたわけですけれど、他の国にお伺いを立てて、その許諾を得てあの亡国的な政策を採択したわけではない。戦中派までは「主権国家というのはどういうものか」の感覚が残っていたと思うんです。だから、戦後の日本を見ていて「属国になった」ということがありありと実感できた。

でも、僕たち戦後生まれは誰一人「主権国家の国民」であった経験がない。生まれてからずっと「属国民」なので、それが当たり前だと思っている。安全保障にしてもエネルギーにしても食糧にしても、重要政策についてはアメリカの許諾を得なければ実現するはずがないと全国民が信じ切っている。

今の若い人たちが「日本の国防戦略はどうあるべきか」を熱く語り合う風景は僕には想像できません。そんなところで何を話してみても、どんな合意を形成してみても、アメリカの許諾を得なければ国防戦略が決定できないんですから、話すだけ無駄だということを彼らは感じている。それよりは「アメリカは日本にどんな国防戦略を採らせる気だろう」を考えた方が話が早い。「何をしたいのか」ではなく「何をさせられるのか」を考える方が現実的なんです。国防戦略を立てる役人たちもそれを解説する知識人たちも同じです。どれほど議論したところで、誰かが「そんな政策をアメリカが許すはずないじゃないですか」と言ったら終わる。

白井　こうした構造の中にいろいろなファクトがあります。日本は、その全体を見て「じゃあ、どうやって生きていくのか」と、まともな理路から考える人間が極めて少数派であるという異常な状態になっています。

内田　属国民である日本国民にとって喫緊の政治課題は「独立」です。それ以外にはありません。にもかかわらず、主権の回復という政治課題が語られない。これはまさに「異常な状態」です。でも、今が異常であるということを自覚しない限り、正常に戻るチャンスはありません。

「面従腹背」を忘れた政治家たち

内田　80年代まではもう少しまともでした。「エコノミック・アニマル」と蔑称されながらも、「アメリカとの経済戦争に勝って、国家主権を回復する」という健気な気持ちはあった。しかしバブル崩壊から後、主権回復という国民的課題を日本人は失ってしまった。

民主党政権の時、鳩山由紀夫首相は普天間基地移設先に関する「最低でも県外」発言をめぐって迷走して、メディアから批判の十字砲火を浴びて、辞職を余儀なくされました。あの時に、「在日米軍の虎の尾を踏んだら政治生命を維持できない」という事実を日本国民は思い知らされた。「日本が属国である」ことを改善すべき異常事態としてではなく、所与の条件として受け入れることを日本人は選んだ。そして、その対米従属スキームの中で自己利益を最大化することがクレバーな生き方だということが日本の常識になった。小沢一郎さんも、対米自立派でしたから、この時期にやはり集中砲火を浴びて、引きずり降ろされましたね。

白井　小沢さんの親分だった田中角栄元首相もアメリカという虎の尾を踏んで失脚しましたね。元共同通信論説副委員長の春名幹男さんの『ロッキード疑獄―角栄ヲ葬リ巨悪ヲ逃ス』（KADOKAWA、2020年）によれば、日中国交正常化から始まる日本独自の対中国、対中東、対ソ連外交がアメリカの不興を買った。1971年7月にニクソン大統領の訪中を発表（ニクソン・ショック）したものの、中国の承認の是非を含め、アメリカは慎重に外交政策を進めようとしていた。ところが、日本がそこで出てきて突っ走って、早々に日中国交正常化を実現してしまった。アメリカはそれに追随せざるを得ない情勢となった。ゆえに、アメリカは「属国の分際で生意気だ」となった。それで独自外交の中心にいた角栄さんを「ロッキード事件」で葬り去ろうとしたわけです。

内田　米大統領補佐官だったキッシンジャーは「田中角栄だけは許さない」と言ったそうですね。あの時は日本のメディアは「田中角栄＝極悪人説」という論調で統一されていました。でも、田中さんは選挙ではそのあとも圧勝し続けたし、自民党のキングメーカーとして隠然たる勢力を誇っていた。訪日した中国の要人たちが必ず角栄さんの墓をお参りすることもぱらぱらと報道されるようにもなった。それでだんだんとロッキード事件がただの疑獄事件ではなくて、もっと複数の読み筋がある事件だと次第にわかってきた。

でも、元総理大臣が逮捕されたということは自民党にとってはトラウマ的経験だったと思います。事実、それ以後に長期政権を維持できたのは中曽根康弘、小泉純一郎、安倍晋三と、どれも過剰なまでに親米路線を採った政治家でしたから。中曽根さんは元海軍将校、小泉さんはかつては日本海軍の軍港があり、戦後は米第七艦隊の基地となった横須賀の生まれ育ちですから、個人的経験から言えば、反米的になってもおかしくない。でも、彼らは過剰に親米的な姿勢を示した。内面的にはかなり葛藤があったはずなんです。この内的葛藤を処理するためには「日本の国益とアメリカの国益は一致している」というストーリーを自分で作って、自分に言い聞かせるしかない。そうすれば「愛国心」と「対米従属」の心理的な不整合を糊塗《こと》できますから。田中角栄にはたぶんそういうタイプの葛藤はなかったと思います。アメリカの国益を優先的に配慮すれば長期政権が維持できるはずだというような計算をしていたら日中共同声明はなかったはずですから。

白井　東京都立大学教授の宮台真司さんの師匠、社会学者の小室直樹さんは角栄さんが失墜していく様を見て、激怒していたそうです。「こんな些細なことで国家の大事を左右させてしまうとは何たる愚かなことだ」と。結局、小室さんは正しかったわけです。

内田　出来事には、大きな文脈があり、その中に中くらいの文脈があり、さらにその中に小さな文脈がある。一つの出来事にしても、どの文脈で読むかによって、意味が変わる。田中角栄がどういう政治家だったのか、ロッキード事件が何だったのかということも、どの文脈で読むかで評価が逆転する可能性があるということです。

戦後一貫して警戒される国

白井　宮台真司さんが言っているような「重武装・中立」についてどう考えますか。重武装は結局、核武装までいかないと意味がない話だと、私は思うのですが。

内田　米軍基地を日韓両国から撤収して、海外に基地を置くコストを削減したいというのはホワイトハウスの本音だと思います。でも、日韓両国が米軍撤収後に強い危機感を感じて、「こうなったら自分で自国を守るしかない」と言って核武装に向かっては困る。韓国でも日本でも、駐留米軍が撤収したら、必ず「核武装論」が出てくるでしょうし、賛成する国民も増える。だから、在日・在韓の米軍は自分たちが引き上げた後に日韓が核武装することを防ぐための「保証」として駐留している。そういうことではないでしょうか。

白井　日本と韓国が核武装すると自分たちの言うことを聞かなくなってしまう。確かにアメリカにしたら最悪です。

内田　アメリカは日本については戦後ずっと反米ナショナリズムに対する警戒を怠っていない

と思います。日本人の無意識のうちに抑圧された反米感情があることをアメリカはわかっているはずです。

白井 アメリカにとっての悪夢は、日本がアメリカから離反し、一種の新アジア主義のような志向を持つことでしょうね。だから鳩山さんの「東アジア共同体」構想も最悪と考えて彼を失脚させたと思われる節がある。

内田 アメリカは日本と韓国が親密な同盟関係を取り結ぶことを望んでいません。「分断して統治せよ（divide and rule）」は植民地支配の基本ですから。日韓が相互に不信感を抱いていて、何かトラブルがあるごとにアメリカに相談して、その裁定に従うという状態がアメリカにとっては望ましい。

それに米軍にしてもCIAにしても、日本の政治家や官僚のスキャンダルの種は山のように持っているはずです。特に自民党はこの長期政権で緩みきっていて、脇が甘くなっているので、報道されない範囲でも相当にひどいことをしているはずです。それを使って脅せば動かせる国会議員はいくらもいる。

白井 中曽根さんが親米に転向したのも結局、そういうことではなかったのか。ロッキード事件で一番汚いネズミは中曽根さんでした。実際、中曽根さんはアメリカに「もみ消してくれ」というような手紙を送っていた。それ以来、手も足も出なくなったのでしょうね。

内田　ＦＢＩ（連邦捜査局）に48年間にわたって君臨していたＪ・エドガー・フーヴァーは政治家のスキャンダルを探って、それを使って政治家をコントロールしていました。８代にわたる大統領に仕えたわけですけれど、誰も彼を退職させられなかった。フーヴァーに尻尾をつかまれていたからです。

白井　ちなみにハニートラップで最も洗練された方法を誇っていたのがソ連です。外国の要人がモスクワに行き、ホテルの部屋で寝ていると絶世の美女が訪ねてきて誘惑する。つい、性欲に負けて致してしまったところで突然ドアが開いて、カメラのフラッシュがバシャバシャとたかれるわけです。

これがソ連末期になってくると体制が劣化してきたので、手荒になってきたという。夜寝ているとコンコン、ドアを開けると絶世の美女が立っている。ここまでは同じです。招き入れてドアを閉めようとした瞬間、カメラのフラッシュがバシャバシャ。まだ何にもしていないのに一巻の終わり（笑）。

内田　せちがらい話ですね。

第2章

凋落する覇権国家の行方

海底ガス・パイプライン爆破事件

白井　先ほど、日本はアメリカ覇権のために喜んで死ぬことを突き付けられていると言いました。非常に興味深いのは、その肝心のアメリカのヘゲモニーが音を立てて崩れ始めた兆候がいくつも出てきていることです。最近、最も私が関心を持ったのは２０２３年2月に米ジャーナリストのシーモア・ハーシュが報じたウクライナ戦争に関するスクープ記事です。彼は85歳。かつてベトナム戦争のソンミ村虐殺やイラク戦争のアブグレイブ刑務所の拷問など数々のスクープを打った生ける伝説と評される人です。

22年9月、ロシアからドイツに天然ガスを送るバルト海の海底ガス・パイプライン「ノルドストリーム」が何者かによって破壊される事件が起きました。それが米海軍の特殊部隊の仕業であり、ノルウェーがアシストしたというのがシーモア・ハーシュのスクープです。情報源はこの工作に反対していた米政府関係者の内部告発と見られます。これが事実と認識されたらバイデン政権は飛ぶという話なので、ＣＩＡか軍のなかの反バイデン派関係者のリークなのでしょう。

海底のガス管を爆破したのだから、かなり高度な工作技術を要すると思われます。つまり、テロリストがお手製の爆弾で破壊したのではなく、どこかの軍や特務機関の仕業であるのは事件当初から明らかでした。アメリカはロシアの仕業だろうと言っていました。

しかし、ロシアにはわざわざ破壊する動機がありません。ロシアの天然ガスをドイツへ送るノルドストリームは、ロシアからすればドイツ及びその他の西ヨーロッパ諸国を恫喝するための大事な手段です。ガス・パイプラインがあってこそ「寒い冬にガスがないと困るだろう、敵対行為をやめないと止めるぞ」と脅せます。破壊してしまったら元も子もない。第一、止めたければ元栓をきゅっと締めればいいだけで、ロシアにはどう見ても動機がないのです。

内田　なるほど、「きゅっとする」だけでいいんだ（笑）。

白井　ノルドストリームには1と2、二つあって、1はずっと前から稼働しています。モノとしては完成していて認証作業中だった2も、ウクライナ戦争がなければ既に開通していたはずでした。ただし、アメリカはノルドストリーム2の開通にかねてから反対していました。ドイツに対して「やるな」と強い圧力をかけていたわけです。

たとえば、バイデン大統領は22年2月、ロシアがウクライナに侵攻する2週間ほど前ですが、訪米中のドイツのショルツ首相との会談後の記者会見で、「もしロシアがウクライナに侵攻したら、ノルドストリーム2は終わらせる。我々にはそれが可能だ」などと言っています。

ドイツにとってノルドストリームは、単なるエネルギー施設、経済のインフラではなくて、ドイツのいわゆる東方外交を支える政治的インフラでもありました。ドイツの東方外交の立ち位置は、ロシア及びその他の東ヨーロッパ諸国に対して、自分が窓口になってヨーロッパ代表としてつき合っていくというもの。それはある意味、アメリカの言いなりにはならないということでもあったわけです。

もちろん、ノルドストリームには経済的利害も絡んでいます。ドイツは脱原発をする一方で、カーボンニュートラルを目指しています。しかし、カーボンニュートラルは早期には実現できない。その間をどうするか。当然つなぎが必要で、そのつなぎがロシアの天然ガスです。その利点は何と言ってもガス価格の安さでした。さらに、この安いガスの余った分を他の西ヨーロッパ諸国に売ることもできたわけで、一粒で二度おいしいインフラであったわけです。

ロシアからヨーロッパにつながるガス・パイプラインは、バルト海を通ってドイツとロシアを直結するノルドストリームのほか、ベラルーシやウクライナを通るもの、さらに南方を通るものと何本もあります。ノルドストリームの持ち主はロシアの国営ガス会社のガスプロムです。ドイツの元首相シュレーダーが長くその傘下のパイプライン運営会社の会長を務めていました。そういうことも含めて、ドイツはアメリカとロシアの両睨みをやって、リスク分散をしていたわけです。

しかし、ウクライナ戦争によってこうしたドイツの東方外交は破綻しました。要するに、ウクライナ戦争が始まった当初、最大の敗者は明らかにドイツだったのです。

開戦により、ドイツは茫然自失状態に陥ります。非道な目に遭っているウクライナを助けなければいけない。けれどもロシアは大事だし、ウクライナは到底かなわないだろうから、お茶を濁してヘルメットでも送っておこう、と。それに対してアメリカから「ふざけるな」と言われたでしょうし、ドイツの国内世論的にも「いくらなんでも」という話になった。それで送る物が、ヘルメットが防弾チョッキへ、さらには対戦車砲、ついには最新鋭の戦車になります。ドイツは茫然自失から積極的な軍事支援の方向へ、急激に転換していったわけです。

これはドイツにとって非常に苦々しい展開です。これまでの東方外交が破綻し、これからはアメリカの言いなりになると、ある意味、自ら告白したものにほかなりません。それに、第二次大戦の独ソ戦の記憶がありますから、「もう対決は避けられない」となれば、今度は逆に、ロシアと絶対に妥協してはならないという感情が優勢になるでしょう。

要するに、ノルドストリームの破壊がアメリカの仕業だという状況証拠は既にあって、今回のシーモア・ハーシュのスクープは、言ってみれば、その状況証拠に確証を与えるような話なのです。

ちなみにノルウェーがアシストしたのは、ハーシュによれば、優秀なダイバーがいて、天然ガスも出る北海油田があるから。ロシアの天然ガスが断たれるとノルウェーは儲かるわけです。

ロシアへの経済制裁は有効か

白井　アメリカはそこまでやるのか、と改めて驚かされます。ドイツのみならず、フランスやイタリアなどでも「そろそろ手打ちじゃないか」という本音が出てきています。けれども、アメリカはそれを許さない。「西ヨーロッパ諸国民の市民生活を破壊してでも、ウクライナ戦争を継続させるぞ」という強い意志を示しています。

もちろん、アメリカ政府はシーモア・ハーシュのスクープを否定しています。大手メディアもあまり取り上げていません。超反戦モードのFOXニュース（共和党系）だけが熱心に報じています。ヨーロッパでもメインストリームは取り上げていない。けれども隠しおおせるものではないので、じわじわ広がってくるでしょう。

ハーシュのスクープ後、3月にはニューヨーク・タイムズが「ノルドストリームの破壊は親ウクライナ勢力の仕業だった」という米情報当局者の話を報じました。その正体はよくわからないが、ゼレンスキー政権そのものではない親ウクライナ勢力がいるというわけです。

いかにも苦しい設定ですが、アメリカはウクライナの特殊部隊の仕業だったという話に持っていくつもりなのかもしれません。そうだとしたら、なぜアメリカはそんな話が必要なのか。それは「引き時」のためではないか。どこかの時点で、ゼレンスキー政権を見捨てることになった場合に大義名分が立たないといけない。先ほど、アメリカは敵基地を攻撃した日本を助けない大義名分を立てていると言いましたが、あれと似ているわけです。

ゼレンスキー政権を見捨てる大義名分を考えた時に、ゼレンスキー大統領は気が狂っているという話にすればいい。「ドイツへつながるパイプラインを破壊して、ウクライナを支えてくれる国々の市民生活を危機に陥れた。そこまでして自分をサポートさせようとした、とんでもないヤツだ」と言って切り捨て、ロシアと手打ちをする。そういうシナリオが可能になるのではないでしょうか。

しかし、先ほど「ウクライナ・モデル」と言いましたが、ノルドストリームの破壊工作やゼレンスキー切りのシナリオも含めて、アメリカの思惑がうまく実現されているとは言えない。うまく行っているならば、ここまで強引な手段を用いる必要はなかったはずです。

そして3月には、大ニュースもありました。中国の仲介でサウジアラビアとイランが国交を正常化した。これは、中国外交の驚異的な大成果です。

この成果には二つの側面があるでしょう。サウジとイランは、イエメンで代理戦争をやっており、民族的差異、宗派的差異という背景もあって対立は深刻でした。そんな二者の手打ちを実現する力を中国が持っていると見せつけたこと。これがまず第一点。それから第二には、中東におけるアメリカのグリップが完全に失われたことですね。アメリカの長年のパートナーであるはずのサウジアラビアが、露骨にアメリカから離反し始めたのです。

その後習近平がモスクワに行ってプーチンと会談し、さらには、電話協議でのゼレンスキーとの会談も実現しました。もし習近平が停戦なり和平なりをまとめたら、世界の中心は明らかに変わります。そんなことは到底想像できないと感じる向きもあるでしょう。私も今年の3月までは想像できなかった。しかし、サウジとイランの一件以来、見方が変わりました。

また同じ3月には、アメリカで銀行の倒産が相次ぎました。連鎖倒産でクレディ・スイスやドイツ銀行が飛んで金融危機、世界大恐慌になるかもしれないとも言われました。さらには政府の債務上限の問題でまた揉めていて、「デフォルトするかも知れない」と騒いでいる。

アメリカは経済制裁で締め上げれば、ロシアはあっという間に行き詰まって白旗を上げるだろうと考えていたようです。しかし何のことはない、ロシアの市民生活は特にダメージを受けることなく、これまでのところピンピンしています。イタリアのベルルスコーニ元首相は「経済制裁で困難に陥っているのはロシアではなくわれわれの方だ。これではセルフ経済制裁だ」と述べました。経済破綻をしたのは、ロシアではなく西側だったということにもなりかねない状況が出てきたわけです。

アメリカのヘゲモニーが今度こそ本当にぶっ壊れつつある。そんな気配が急速に高まっているのですが、内田さんにはどう見えますか。

ウクライナ戦争の展望

内田　アメリカのヘゲモニーが低下しているという点については、僕も白井さんと同意見です。ヘゲモニーと言うよりビジョンですね。アメリカは「この問題をこういうかたちで収束して、最終的にこういうかたちの世界を作る」というビジョンを出す能力がなくなっている。指南力のあるビジョンを示せるということがグローバル・リーダーシップの条件なんですけれども、アメリカはもうそれを出す力がなくなっている。むろん相対的にはまだ最大の強国ですけれども、「他国より強い」ということと「他国を導く力がある」ということはまったく違う。

先ほど安全保障について言いましたが、アメリカはプランA、B、C、D……とさまざまな「場合分け」をして、それぞれについての最適解を示すということについては高い能力を持っています。特に「最悪の事態」を想像する構想力は高い。これはほんとうに羨ましいくらい高い。

でも、「最悪の事態」をアメリカだけが生き延びるシナリオはすらすらと書けるのだけれども、それは「望ましい世界のあり方」を国際社会に示すということとは違います。「アメリカだけが生き残るシナリオ」では国際社会を指導することはできない。

「どんな事態にも対応できる」という能力はしばしば「何が何でもこれを実現したい」という

目標を放棄することを要求します。生き残ることが最優先なのだから、そのためには「何をしても構わない」ということになると政策に一貫性がない。アメリカは決然としているように見えますけれど、けっこう「先送り」が多い。割と日和見主義的な国なんです。

ウクライナ戦争も先送りです。どうなるか、事態の推移を眺めている。アメリカの軍産複合体は「だらだら戦争が続く」ことから巨大な利益を得ているので、彼らには解決を急ぐインセンティブがない。一方、ホワイトハウスにとってウクライナ戦争がもたらす最大の利益は、ウクライナを使ってロシアの国力を削ってゆけることです。たしかにロシアは底力があります。でも、戦争が続けば経済も行き詰まるし、モラルも低下するし、プーチンの神通力にも翳《かげ》りが出てくる。何より、ロシアの国際社会における威信が低下する。ウクライナ相手にこれだけ苦戦して、ワグネルのような戦争請負業に戦争をアウトソースしたり、囚人を前線に送り込んだりしているところから、たしかに核兵器は山のように持っているけれども、通常兵器による戦争は「弱い」ということが暴露された。何より今のロシアには国際社会にアピールできるような「思想」がない。

かつてのソ連は曲がりなりにも国際共産主義運動のリーダーでした。世界に共産主義を実現するという歴史的使命を担っていた。ですから、世界各国にレーニン主義者がおり、スターリン主義者がいた。彼らは自国の利益よりもソ連の国益を優先的に配慮するという人たちでした。

そういう人たちが全世界に何百万人という規模で存在した。でも、今世界のどこにも「プーチン主義者」はいません。もちろん、「プーチンのやっていることにも一理ある」と論評する人はぱらぱらといますけれど、国内世論に影響を及ぼすような力はない。プーチンの大ロシア主義の旗を掲げて、「みんなでプーチンを応援しよう」というような運動も組織も他国には存在しない。国際社会におけるロシアの指南力は、ほぼゼロにまで低下したと言ってよいと思います。

この戦争があと1年続いたら、どういう戦況であろうとロシアは二流国に転落する。これは避けがたい。経済力も、軍事力も、国際社会における指導力も、すべて戦争前よりランクが下がる。かつてソ連が持っていたような国際的威信を回復することは二度とない。

さすがに中国だけはロシアとの同盟関係を維持しようとしています。中国としてはロシアが滅びてしまうと困るからです。ロシアはNATO主導の世界に対抗するための不可欠のパートナーですから、経済的な支援やモラル・サポートもするでしょう。

でも、ひたすら没落してゆくだけのロシアを支援し続けることは、中国にとっても重い負担になる。仮に天然ガスや石油、石炭、レアメタルなどの資源をロシアから安価で安定的に輸入できるというメリットがあっても、土台から崩れるロシアを支える負荷の方がそんな経済的利益よりはるかに大きい。今の中国には国力がありますから、ロシアを支えるくらいはそれほどたいした負担ではないでしょうけれども、それがいつまで続くかわからない。中国の人口は2022年にピークアウトして、あとは急激な人口減局面に入ります。生産年齢人口が激減して、代わりに高齢者が激増する。この人口動態上のリスクに向き合わなければならないときに果たしてロシアの面倒まで見られるか。

ウクライナが抵抗すればするほどロシアの国力はその分削られてゆく。それだけ中国の負荷は重くなる。中国は「大義名分のない戦争をしている国の同盟国」というぱっとしない地位にいつまでもいなければいけない。中国は、ロシアを突き放すこともできないし、軍事的に直接介入してウクライナ戦争にけりをつけるということもできない。非常に中途半端なところでロシアを支え続けることになる。身動きができなくなるわけです。

だから、中国にとっては、ロシアとウクライナの間に入って、和平交渉を取りまとめることが国益を最大化する道だということになる。

さて、中国が戦争を調停できるか。これはかなり難しいと思います。ロシアは憲法に「領土割譲禁止条項」があり、領土的譲歩について交渉することそれ自体が刑事罰の対象となる。だから、東部のドンバス地方やクリミアについて、プーチン政府が領土的譲歩をするということはまずあり得ない。

一方のウクライナは、これだけの死者を出し、国土を破壊されたのに、「ロシア侵攻前と同じ状態」にすることで「痛み分け」というような調停案を呑むわけにはゆかない。これだけの国民が殺された戦争を、侵入者ロシアに何のペナルティも科さずに終わらせては、死者たちが浮かばれない。何があってもいくばくかの領土的譲歩をロシアから引き出さなければ、ウクライナとしては戦争を終わらせることはできない。この難しい条件で、習近平がロシアとウクライナの「両方の顔を立てて」調停することができるか。できたら、これは中国にとっては歴史的な達成になると思います。

白井さんが言ったように、アメリカには決定的なかたちでウクライナ情勢を転換できる力はありません。でも、このままだらだら戦争が続けば、ロシアの国際社会における影響力はじわじわと逓減《ていげん》してゆく。アメリカには人的損害がないままロシアの力を削ぐことができる。それなら、アメリカには停戦を急ぐインセンティブがありません。

アメリカとNATOが考えている調停プランは、戦争をこのままだらだら続けているうちに、ロシアの国内情勢が変わる可能性があるので、そこで介入するというものだと思います。たとえば、プーチンが病気になって執務ができなくなるとか。これはあり得ます。どんな独裁者も永遠の命は持っていません。必ずいつかは老いて、力を失って、死ぬ。あるいはクーデタが起きて、誰かが後ろからプーチンを刺すかも知れない。この戦争は「電撃戦」のつもりで始めたものです。その目算が狂って、長期戦になってしまった。「勝てない」という事実そのものがプーチンの判断ミスを証明しています。その事実がプーチンのハードパワーをじわじわと弱めてゆく。そうなると、いつか、何かが起きるかも知れない。

白井　9割方、これで妥結できると事務レベルで決まっていないと、習近平はキーウに行けないでしょう。仲介失敗となったら逆に恥をかくわけですから。戦争前から中国とウクライナの関係はそれなりに深いものがありました。だからゼレンスキーを納得させる可能性がないわけではない。たとえば、「領土をちょっと失うのはしょうがない。その代わり、復興は全部面倒見るから」と。

内田　東部・南部4州（ドネツク、ルハンスク、ザポリージャ、ヘルソン）はどうなるんですか。

白井　部分的にロシア編入に近いかたち、あるいは非武装中立地帯にする。クリミアはウクライナからすれば絶望的でしょう。いずれにしても中国が復興の面倒を全部見るといったインパクトがなければ、話はまとめられないと思います。

「アメリカやヨーロッパは延々と頑張れ頑張れと、ひたすら武器をよこしただけじゃないか。戦争の落としどころを見つけられなかったじゃないか。ケチくさいから復興のカネもどうせ出さない。中国は桁違いに提供する。だから言うことを聞け」。これくらい言わないと局面を変えられないでしょう。

ただし、ウクライナの国内要因により、仮にゼレンスキーがそうした線で手を打とうとしても、到底できない、という事態も考えられます。徹底抗戦のスタンスを捨てようとすれば、殺されるかもしれない。

内田　ただ、クリミアが現状のままで、４州の帰属もはっきりしないとなれば、これから先、またいつロシアとウクライナの間で戦争が起きてもおかしくありません。両国間の戦争はクリミア併合の２０１４年から延々と続いています。いったん休戦しても、ウクライナが国土を再建した場合、最優先で資源をつぎ込むのは軍備です。「次にロシアと戦うときは徹底的に勝つ」という国家目標に異を唱えることのできる国民はいないでしょうし、「今度はこちらが電撃作戦でやる」ということになっても、国際法違反だとか、倫理的にどうだとか言うことはウクライナ国内では難しい。あれだけ市民が死んでいるわけですからね。中国から「国土復興のためにカネを出す」と言われても、どれほど札束を積まれても、「はい、そうですか」と恨みを呑んでプーチンと握手をするというのは国民感情としては難しい。

　だから、どこの国も「先送り」しか手立てがないと思います。当事者全員が納得する「落としどころ」がないんですから。そういう場合は先延ばししかない。そのうち、誰かが死ぬことで解決するかも知れないし、「こんなことしてられない」というもっとスケールの大きな事件が起きるかも知れない。台湾情勢だって、先送りしているうちに、習近平が急死したら後継問題で台湾のことなんかは後回しになる。ひどい話ですが、プーチンが死ぬか習近平が死ぬかすれば、ウクライナも台湾も状況は一変します。みんな、黙ってそういう意外なゲームチェンジャーの登場を待っていると思います。

ポスト・プーチンの恐怖

白井　私も戦争が長期化すれば、ロシアにもダメージが出てきて、ロシアの内部がガタガタし始めるのではないかと思っていました。けれども先ほど言ったように、最近の動向を見ていると、どうもロシアがへたばる前に西側のほうがへたばるかも知れないという気配が出てきたと感じているわけです。

内田　どうでしょうか。中国とロシアに比べると、僕はアメリカの復元力（レジリエンス）の方が強いと思っています。レジリエンスというのは、国内におけるカウンターの存在のことです。支配的な政治勢力に対して、それを徹底的に批判している勢力がいる。メインストリームが大失敗を犯しても、カウンターが登場して、それに取って代わることができる。

アメリカの場合、建国以来ずっと二大勢力の拮抗状態が続いています。建国期の中央集権派（フェデラリスト）と地方分権派（アンチ・フェデラリスト）、南北戦争の時の北軍と南軍、今のアメリカの民主党と共和党、それが深い国民的分断を生み出しているわけですけれども、見方を変えると、これだけの国民的分断を抱え込みながら、一度の内戦だけで、とりあえずそれ以外の時期は一つの国としてはまとまっている。まことに変な国です。

アメリカのレジリエンスが発揮されたのはベトナム戦争の後です。60年代から70年代初めにかけて世界中でベトナム反戦闘争が繰り広げられましたけれど、最も激烈なベトナム反戦闘争が展開されたのはアメリカでした。世界中がアメリカの非道を非難していた時に、アメリカ市民の半数もまた自国の非道を非難していた。ですから、75年にアメリカがベトナムでみじめな敗北を喫した後、それを徹底的に批判したのはアメリカ人でした。ベトナム戦争の犯罪性を仮借なく暴いたのは『地獄の黙示録』であり、戦争がどれほどアメリカの若者の魂を傷つけたのかは『タクシードライバー』や『ランボー』が描いた。他国に批判される前に自分たちでかたをつけた。そのおかげで、世界はそれまでの反米一辺倒から気がつかないうちに親米気分に切り替わりました。日本の左翼もそうでした。アメリカのカウンター・カルチャーが魅力的だったせいで、あっさりと「反米愛国」の牙を抜かれてしまった。このアメリカのレジリエンスの力は侮れないと思います。

中国とロシアにはアメリカのカウンターに相当するものがありません。いつも独裁者に権力が集中していて、独裁者のアジェンダに反対する者は粛清される。だから、独裁者が賢い政治的判断を下している間は効率的な統治ができるのですが、独裁者がひとたび政策判断を誤った場合に、誰も「それは止めた方がいいです」と諫言《かんげん》する人がいない。そして、ほとんどの場合、独裁者は自分の後継者選びに失敗する。だから、崩れ始めると早い。

アメリカだったら、バイデンが倒れた場合に誰が出てきて、どういう政策転換があるかは、ある程度予測がつきます。イギリスやフランスやドイツでもそうです。民主主義の国はシステムの惰性が効いているから、指導者が変わっても、いきなり統治機構が崩れるということはない。けれども、中国とロシアでは、独裁者が死んだあとに何が起きるかが見通せない。特にポスト・プーチンがわからない。

たぶんプーチンの「跡目」をめぐってソ連崩壊の時と同じような大混乱が起きるでしょう。最悪のシナリオは、政治家や軍人や政商が「跡目」を争い、それぞれをNATOや中国やトルコが後押しをして、ロシアで「代理戦争」が始まるという展開です。ロシアには大量の核兵器がありますから、もしいくつかの軍閥が乱立して、それぞれが核ミサイルを保有しているとなると、これは怖い。

実際に内戦にならなくても、ロシア国内にいくつかの勢力が乱立し、それぞれのバックに大国がついて、ロシアの政治を自分たちの都合のいいようにマニピュレートしようとするというシナリオは大いにありそうです。ポスト・プーチンを見込んで、そういう「アセッツ」の養成は既に始まっているはずです。アメリカも、ドイツも、中国も、トルコも、今のロシア国内の各層に、それぞれの国と「パイプ」を持つグループを形成している。そして、「カネでも情報でも、必要なら武器でも用意するから、ぜひ国内政治でのヘゲモニー闘争に勝利して政権を取ってくれ」と頼み込んでいる。

白井　そう考えると、プーチンにまとめてもらわないと困りますね。

内田　そうなんですよ。プーチンが生きてる方がまだましなんです。死なれちゃ困る。マフィア対策に似ています。警察にとっては、犯罪組織が単一団体で、ボスが完全に組織を仕切っている方がありがたい。それだとボスに話を通せば、末端まで伝わる。ある程度までの悪事は見逃す代わりに、誰がどういう悪事を働いているかはきちっと把握しておいて欲しい。その方が治安がいい。困るのは、ボスが死んで、跡目相続でグループがばらばらになってしまって、誰か一人に話を通しても、他のグループには伝わらないことなんです。

ロシアがカオスになることのリスクはソ連崩壊のあとに経験済みです。ソ連崩壊のあと、軍の幹部が金欲しさに核ミサイルを武器商人に売り払って、それをテロリストが手に入れて、アメリカに核ミサイルを撃ち込むと脅迫する……というシナリオの映画がアメリカで山ほど作られました。あれはたぶんアメリカ人が想像しうる「最悪のシナリオ」なんだと思います。

それに比べたら、プーチンが全部コントロールして、目を光らせている方がまだましなんです。核ミサイルがどこにいくつあるかをトップが把握している方が安心です。だから、アメリカはプーチンの力が弱るにしても徐々に弱って欲しい。いきなりクラッシュして、ロシア国内がカオスになることは望んでいない。

ウクライナ戦争はアメリカの「陰謀」か

白井　トルコが仲介した22年3月のロシアとウクライナの停戦交渉は妥結寸前までいったらしい。結局、物別れになりましたが、なぜ駄目になったのか。ちょうどその頃、いわゆるブチャの虐殺が明らかになりました。あれでウクライナの国内世論、あるいは国際世論的にも「とんでもない、一切妥協できない」と沸騰し、今日まで戦争が続いているわけです。

諸々の調査によれば、ロシア軍の部隊による仕業であるというのは確実であるという。とはいえ、いくら何でもタイミングがよすぎはしないでしょうか。あたかも停戦交渉をぶち壊す目的を持つかのごとくにそれは現れました。何ともやりきれないのは、これで停戦が不可能になってしまい、結果として犠牲者が増え続けていることです。

内田　ブチャの虐殺が作り話だとは思いませんが、その話をどのタイミングで公開するかについて、政治的計算があっても不思議はない。どの国の政府も腹の中でほんとうは何を考えているか、僕らにはわかりません。わかるのは、通常は自分たちの国益を最大化するためにふるまうということです。ただ、ゼレンスキー政権は比較的正直に情報開示をしていると僕は思います。というのは、ウクライナのロシアに対する最大の優位は「倫理的優位性」だからです。

ウクライナの軍事力はロシアと比べたらかなり弱い。今はNATOのてこ入れでだいぶ整備されましたけれど、人口はロシアの3分の1、GDPは10分の1です。ですから、ロシアに対する「倫理的優位性」がほとんど唯一の強みなのです。純然たる被害者であり、「手が白い」ままこの戦争に引き込まれ、その後も「手が白い」まま戦っているという物語はウクライナにとって死活的に重要なものです。よほどのことがなければ、このアドバンテージを手放すことはしないと思います。NATOからの軍事的支援は計算ずくですが、世界中の市民たちからのモラル・サポートはウクライナがこの「倫理的優位性」を維持していることによってもたらされています。これは戦車やミサイルよりも見方によっては強力な武器です。ゼレンスキーが陰謀家であるというような評判が立つことは、ウクライナにとってはかなり致命的です。

白井　ただ、ウクライナはそもそも超弩級《どきゅう》の腐敗国家でした。この戦争は被害者の面が強いので、ほとんどの人が忘れていますが。

内田　それはおっしゃる通りですね。でも、ゼレンスキーが大統領になったのは、彼が俳優時代に演じた『国民の僕《しもべ》』というコメディで、徹底的にウクライナ政府の腐敗を笑いのめした、その尖った批評性を評価されたからです。その「好印象」だけを足がかりに大統領になった人ですから、「ゼレンスキーもウクライナによくいる腐敗政治家の一人だ」と思われたら彼の政治的求心力は消えてしまう。だから、その点については慎重になっていると思いますよ。

白井　停戦交渉が決裂したのは、戦争がここで終わっては面白くないと考える勢力がいるからではないでしょうか。いろいろなプロパガンダにも、ウクライナ自身がやっているというよりもその後ろにアメリカやイギリスの影を感じます。非常に洗練されていますから。

先ほどドイツがこの戦争の一番の敗者と言いました。これはイギリスがかなり前のめりにウクライナを支援していることと平仄《ひょうそく》の合う話です。要するに、EU（欧州連合）としてのヨーロッパは、名実ともに盟主はドイツであるということでずっとやってきたわけです。イギリスはそれが不満だった。それでついにはEUから抜けてしまいました。アメリカにしても、ドイツ中心のEUが「アメリカ離れ」をするのは許せない。だからEUから抜けたイギリスを誘って、ドイツがやってきたことを全部キャンセルするようなかたちでウクライナを支援している。こういうふうに見れば、辻褄が合います。

内田　アメリカの政策決定者がそこまで賢いかどうか。そういうアイディアを思いつく人はいるかも知れないけれども、そういう政策で周りのみんなを説得して、大統領がゴーサインを出すところまでいくのは、なかなか大変です。あり得る話ではありますが、やはりいろいろなプランの中の一つでしかないんじゃないかな。

白井　確かに、歴史的には誰かがシナリオを書いたことではない場合が多いから。

内田　「すべてを背後で操作しているヤツがいる。この戦争から受益しているヤツがそうだ」

というのが最も単純な陰謀論です。国際情勢が混乱している時には「マニピュレーターは誰だ?」という話になりがちですが、受益している人間とマニピュレーターはたいていの場合別人です。誰かが遠隔操作していても、思いがけないベネフィットが別の誰かのところにゆくということもある。様子を見て、途中で受益する側に乗る人間もいるし、あたかも自分こそがマニピュレーターであるかのようにふるまって自分を大きく見せようとする人間もいる。

白井　そもそも単一の主体が全部の状況をコントロールすることなんてできません。事後的に「こういうことになっていた」と、いわば物語を再構成することはできますが。

内田　そうですね。その辺の見きわめが難しいんです。本当に陰謀を企んでいる組織もあるし。

白井　はい、まさに陰謀と陰謀論の違いというのが重要ですね。陰謀は確実に存在するわけです。ある種の歴史学がやっていることは、要するに過去に企まれた陰謀をトレースして証明することにほかなりません。しかし、あらゆる陰謀につながる単一の「陰謀の主体」を見出してしまうと、これは陰謀論になります。反ユダヤ主義のユダヤ陰謀説がまさにこれの典型ですね。悪いことは全部、ユダヤ人が背後で操って引き起こしている、と。こういう風にさまざまな出来事を単一の主体に還元してしまうならば、その主体はCIAだろうがコミンテルンだろうが、誰でもよいわけです。

現実の世界は複雑であって、誰か唯一の主体がすべてをコントロールするなんてことはできないわけですね。だから、陰謀を否定してはならないが、陰謀論は否定しなければならない。これが重要なポイントだと思います。かつ重要なのは、陰謀論にハマるのは、頭が悪いからじゃなくて、反対に知的水準が一定程度高いからですね。さまざまな事象に関連性を見出して、そこに単一の主体を見出すというのは、知的な操作ですから。

「不義の戦争」による不信の必然

白井　現状、ロシアが破綻していない原因の一つとして、予想されたほど孤立していないことが挙げられます。いわゆる経済制裁を行なっている国・地域と行なっていない国・地域を分けると、後者のほうが圧倒的に多い。経済制裁をしている国・地域はヨーロッパのほとんどの国と北米のアメリカ、カナダ。アジアだと日本、韓国、台湾、シンガポール。それからオセアニアのオーストラリアとニュージーランドなど40カ国・地域ほどです。

結局、先進国グループがロシアをやっつけようと言っているわけです。途上国グループも多くの国々が今回のロシアの侵攻はけしからんとは言っています。しかし非常に冷めていて、中南米やアフリカ、中東の国々の経済制裁への参加はゼロです。

中南米諸国が冷めているのは、ある意味当然でしょう。アメリカが「ロシアはウクライナを自分の勢力圏だから敵方のNATOに取られるのは耐え難いと言って攻め込んだ。これは帝国主義的で許されざることだからみんなで粉砕しよう」というふうに言っても、中南米諸国からすると、「はあ？　どの口が言うの？」となるわけです。今までアメリカは中南米で何をやってきたか。まさに自分の勢力圏だという空間認識で、親米権力を作る、あるいは維持するために、時には軍人にクーデターをやらせたり、直接に武力介入したり、経済制裁を加えたりなどしてきました。アメリカの言うことを聞く気がしなくてももっともなのです。

アフリカや中東の国々も同じでしょう。ヨーロッパ諸国が帝国主義的なロシアをいくら批判しても「じゃあ、お前らは俺たちを植民地にして何をやってきたんだ？」となります。結局、途上国グループでは支持が広がらないわけです。

これほどまでにアメリカの経済制裁の呼びかけに途上国グループがついてこないのは、歴史的背景のみならず、アメリカが今回、あまりにも露骨にプレッシャーをかけ過ぎたからでしょう。「賛成しなかったら、どうなると思っているんだ」と言わんばかりの乱暴な態度を見せていたことが裏目に出て、経済制裁に乗ってくる国々のほうが少数派になってしまったのです。

要するに、これもアメリカのヘゲモニーの衰退の兆候ではないでしょうか。アメリカの言うことは聞きたくないと思っていても聞かざるを得ないという国々は、かつてはもっと多かった。けれどもそういう国々が「もう聞かない」と言えるようになったわけですから。

内田　アメリカの軍事力は確実に低下しています。今は中国に肉迫されている。人民解放軍は実戦経験が少ないので、実力についてはわからない部分はありますが、アメリカの軍事関係者が「中国と戦ったら負ける」と公言しているのは事実です。2017年ランド研究所の報告は「妥当な推定を基にすれば、米軍は次に戦闘を求められる戦争で敗北する」と結論づけていますし、同年、ジョセフ・ダンフォード統合参謀本部議長も「われわれが現在の軌道を見直さなければ、量的・質的な競争優位を失うだろう」と警告を発しています。

もちろん軍関係者が「このままでは敗ける」というタイプの言明をするのは、少し割り引いて聞く必要があります。そう言わないと国防予算の増額は勝ち取れませんから、必ず自国の戦力については「もっと予算をつけないとたいへんなことになる」という評価をする。自国戦力を過大評価して、「もっと予算を減らしても中国には負けません」というようなことを口走る軍人はいません。だから、「中国に敗ける」という話は多少割り引いて聞かなければいけない話ではありますけれども、それでもアメリカの軍関係者が危機感を持っていることは間違いない。

白井　「不義の戦争」をやってきたことのダメージも大きいですよ。直近の事例を言えば、イラク戦争（2003~2011年）は、実際にはない大量破壊兵器をあると大嘘をついて始めました。

内田　ベトナム戦争（1954~1975年）もそうです。

白井　「トンキン湾の謀略（1964年、ベトナム戦争で米軍の本格参戦の理由になったアメリカ政府の秘密工作によって発生した軍事衝突事件）」ですね。

内田　そういうことをするとあとが祟《たた》るんですよ。いくら大義名分を掲げても、「どの口が言うか」と切り返されてしまう。これは「そっちこそどうなんだ論法（Whataboutism）」と言われる論法で、東西冷戦時代にソ連によって繰り返された欧米批判の論法です。西欧の植民地帝国がかつて植民地でどれほど非道なことをしてきたのかを棚に上げてソ連国内における人権問題を批判している。そんな資格がお前たちにあるか、という論法です。これは反論するのがまことに難しい。

白井　ノルドストリーム爆破がアメリカの仕業だとなったら、トンキン湾の謀略の再現だという話になりますよね。

内田　米西戦争（1898年）もそうでした。米海軍のメイン号がスペイン軍の機雷に触れて爆発したと言われていましたが、実際には積み荷の石炭が自然発火して起きた爆発でした。一応、メイン号事件とトンキン湾事件については詫びを入れていますが、アメリカが「そういうこと」を繰り返してきた事実は消せない。

今のアメリカは軍事的卓越性も倫理的卓越性も失って、国際社会をリードするグローバル・リーダーシップに翳《かげ》りが生じている。世界のあるべき未来について指南力のあるビジョンを提示する力がなくなっている。アメリカがそれでも他国に対してアドバンテージがあるとしたら「プランをたくさん用意できる能力」だと思います。

アメリカ人は「最悪の事態」を想定することについて怯えとか、ためらいとかがない。「アメリカ全土が焦土になる」というタイプのSF的想像力を発揮することにタブーがない。これは他国にはなかなか見ることのできない精神的な強さだと思います。軍幹部が平気で「中国と戦ったら敗けるかも知れない」というようなことを言っても、それで罷免されるとか、世論のバッシングを受けるわけではない。これ、日本だったら大変ですよ。日本は伝統的に「自軍のすべての作戦が成功して、敵軍のすべての作戦が失敗すれば、皇軍大勝利」というタイプの机上の空論をもてあそぶ軍人たちが累進を遂げる。「最悪の事態」を想定して、それに備えるというタイプのプラグマティックな知性は疎んじられてきた。それは今も同じです。

そのアメリカもシナリオを列挙することはできますけれども、どれか一つに絞り込んで、そのシナリオの実現のために同盟国すべてを引率するという指導力はない。国際社会に広々とした希望を持たせるような向日的なビジョンを提示できない。アメリカは「何が起きても対応できる」力はありますけれど、それは言い換えれば「是が非でもこういう世界になって欲しい」という強い願いを持っていないということです。

戦争に備えるふりをする日本

白井　いずれにしてもアメリカに賢明な判断ができるかどうか、非常に疑わしいですよね。さて、そういうアメリカに従属している日本はどうしたらいいのか。台湾有事に関して言えば、合理的に考えれば、中国と戦争なんてできるわけがありません。中国は輸出入とも最大の貿易相手ですから。通常、戦争の前には経済封鎖、経済的断交が起こります。その時点で日本経済は即死します。

内田　日本にはエネルギー、食料、医療品などの戦略的備蓄がありません。戦時の国民生活を支える備蓄をせずに、ただ軍備だけ増大している。「戦争ができる国」になることをアメリカが強く要望しているので、ただそれに服従しているだけです。服従すれば、アメリカの機嫌がよくなり、アメリカに好感される政権は長期安定が保証される。そういう国内的な事情での軍備の拡大です。国防予算だって、東アジアの地政学的環境について熟慮した末に、必要なもののリストを作って、それを積算して出した数字ではない。まず先に数字がある。それは「本当に戦争になったら」ということについては何のシミュレーションもしていないということです。これは断言していいと思います。

偶発的な軍事的衝突についてなら、机上演習くらいはしているでしょうけれども、総力戦になった時に国民生活をどうするかについては何のシミュレーションもしていない。ほんとうに戦争する気だったら、まずは戦略的物資の備蓄から始めているはずです。それから「とにかく仕事のできる人間」を統治機構の要路に配する。非常時に「仕事ができない人間」ばかりで指導部を形成しても何もできませんからね。でも、今の日本は政権におべっかを使う人間だけを重用するネポティズムで、まったく能力主義じゃない。卓越した能力の人間なら、どれほど若くても、無役でも抜擢するという仕組みを持っていない国が戦争なんかできるはずがない。

白井　日本の食料自給率がカロリーベースで38％というのは有名な話ですが、東京大学大学院農学生命科学研究科教授の鈴木宣弘さんが『世界で最初に飢えるのは日本―食の安全保障をどう守るか』（講談社＋α新書、２０２２年）の中で、もっと実質的に考えるべきであると指摘しています。すると食料自給率は10％に届かないくらいになると。

日本政府は、日本の畑で取れたものは自給されたものという考え方をもとに食料自給率38％と言っています。しかし、その畑にまいた種と肥料はどこからきたか。あるいはビニールハウスで何かを栽培する際には灯油をたいて温めます。その灯油はどこからきたか。そういう具合に食料生産における海外依存度を厳密に見ていくと、日本の食料自給率は10％に届かないくらいになるわけです。

我々が生きている基盤はきわめて脆弱であるというのが鈴木先生の話で、実に勉強になります。農水省もそれはわかっていて、一応シナリオのようなものを想定しています。純粋に日本の国土内でできるものだけで日本人が食いつなぐ事態になったら、全部の田畑にイモを植えて、3食イモを食えと（笑）。そういう恐ろしいレポートを出しています。

内田　食料自給は「国民生活を守る」という目標からすれば、基本中の基本のはずです。それさえやる気がない。政府は「本当に戦争が起きたら」というシナリオについて何も検討をしていないということです。原発だって、また次々稼働しようとしている。政府は「戦争だ」と煽れば、自分たちに利益をもたらす政策が抵抗なく実現できるから、その言い訳に「戦争」を利用しているだけです。こういう戦争をなめた態度を取っていると、そのうちに手痛い目に遭いますよ。

白井　はい、日本経済の構造や食料自給率と、食料輸入先の第2位が中国であることに鑑みれば、中国と戦争などできるはずがないのです。しかし、起こるはずのない戦争が実際に起きたというのが歴史の現実でもあるわけです。その代表が第一次世界大戦ですね。当時、国際金本位制の下、ヨーロッパ諸国の経済はボーダレス化して、人・モノ・カネが国境を越えて盛んに行き交っていました。それにより諸国の利害関係は複雑に絡み合うようになったので、戦争が起これぱみんな大損してしまう。だから、ヨーロッパの大国間で戦争が起きることはない、と言われていました。有名なのが、ノーマン・エンジェルによる理論ですね。

しかし、にもかかわらず、戦争は起きました。あるいは、日本の太平洋戦争を思い起こしてもよいでしょう。アメリカと戦争をすれば破滅する、と軍の上層部だってわかっていました。そもそも最も重要な資源である石油をアメリカに依存していたわけで。だからやっちゃいけないのは自明であるのに、にもかかわらずやってしまった。つまり、合理的計算を超えて戦争は発生する、これが歴史の教訓でしょう。起こるはずのないことが起こる、これが一番怖い。

中国外交の成功と欧米内政の失敗

白井　今日の国際情勢で注目すべきは、中国の仲介でロシアとウクライナが停戦交渉に入って停戦するということがありえるかどうかでしょう。もしこれが実現したら世界が根本的にひっくり返る話です。世界の中心はニューヨーク・ワシントンから北京へ移動したということになる。先にも触れましたが、2023年3月に中国がサウジアラビアとイランの国交正常化を仲介して、西側の多くのアナリストたちは「まさか中国外交にここまでの力があるとは」と驚愕しました。今度はロシアとウクライナです。習近平は3月、ロシアに行ってプーチンと4時間半も会談、4月にはゼレンスキーと1時間の電話会談。中国の仲介による停戦に可能性が出てきた感があります。

内田　「この喧嘩、ここは一つ俺の顔を立てて、俺に預けちゃくれまいか」と中国が仲裁にはいったら、ロシアもウクライナも貫禄で負けてしまう……という展開になれば、停戦協定まで持ち込めるかも知れません。『昭和残侠伝』だと剣《つるぎ》の親分（片岡千恵蔵）が出てくると、その貫禄で、ことの理非は棚上げして、「では、親分さんにお任せいたします」ということになるわけです。仲裁が成功するかどうかを決めるのは、ことの理非や停戦協定の合理性とかじゃなく、仲裁者の貫禄なんです。習近平がプーチン、ゼレンスキーよりも「格上」だったら、両国にとってかなり無理のある停戦協定でも呑ませられるかも知れない。

もうアメリカには「俺の顔を立てて」で当事者を黙らせるような貫禄がありません。貫禄というのは単なる国力のことじゃない。今ここでの軍事力や経済力や科学力というような生《なま》の力ではなく、ここで中国の顔を立てたほうが長期的に国益に資するところが大であると当事者双方が判断すれば、仲裁が成る。

白井　それを実現するためには、ウクライナに相当なカネを入れる必要があるでしょう。「お前たちは意地を見せてよく頑張った。復興は全部面倒を見るから、俺の顔を立ててやめろ」と。

内田　そうでしょうね。NATOが支援した額の何倍もの復興資金をどんと積んで、「これでウクライナを建て直してくれ」と言われたら、ウクライナも断ることは難しい。

白井　エマニュエル・トッドなどが代表的ですが、もう何年も前から「アメリカの没落」は言われてきました。けれどもやはりアメリカにはなかなか底力があって、「アメリカはもう駄目だ」という言説はオオカミ少年のようになっていたわけです。しかし、今ここに至って、ついにアメリカの没落が本当に来たという感じがしています。

内田 アメリカは国力の低下だけでなく、道徳的なインテグリティーの劣化が著しい。トランプ前大統領がいくつもの案件で訴追されていますけれども、元ポルノ女優への口止め料とか、更衣室での性的暴行とかいう、人としてどうかというものばかり。政治家に徳性は不要だということなのかも知れませんが、別にわざわざ人並外れて下品な人間を大統領にすることもなかった。

『アメリカは内戦に向かうのか』（バーバラ・F・ウォルター、井坂康志訳 東洋経済新報社、2023年）という本で教えてもらったのですけれど、ポリティ・インデックスという指標があります。完全な民主主義政体をプラス10、完全な専制政体をマイナス10として、21段階で評価するものです。国政選挙が公正に営まれ、マイノリティの差別・排除がなされず、政党が国民の意思を適切に代表している国、ノルウェー、ニュージーランド、デンマーク、カナダなどがプラス10。国民に統治者を選ぶ権利がなく、権力者は法に縛られることなく、やりたい放題のことができる国がマイナス10で、北朝鮮、サウジアラビアなどがこれに当たります。ポリティ・インデックスがプラス6からプラス10の国が「完全な民主主義国家」、スコアがマイナス10〜マイナス6は「専制国家」。そして、その中間のプラス5〜マイナス5のスコアの国は「アノクラシー（anocracy）」と呼ばれます。アノクラシーは形式的には民主主義で、国民に選挙権はあるんですけれども、有権者たちが自分の意思で権威主義的で、独裁的傾向を持つ人物を自分たちの指導者に選んでしまう。だから、アノクラシーは「半民主主義（semi-democracy）」とも呼ばれます。

アノクラシーという概念が注目されるようになったのは、内戦リスクを高めるのは、貧困、民族的多様性、貧富の格差、政治腐敗よりもむしろその政体がアノクラシー・ゾーンにいるかどうかだということが統計的に明らかになったからです。つまり、どれほど国が貧しくても、国民が分断されていても、政治腐敗がひどくても、その国が完全な民主政かまたは完全な独裁制であれば内戦は起きない。でも、独裁制の国が民主化する過程、あるいはその逆に民主政の国が独裁化する過程で、高い確率で内戦が起きる。前者はイラク、リビア、シリア、イエメン、ミャンマー。後者はハンガリー、ブラジル、インド、そしてアメリカ。2021年1月6日の連邦議会へのトランプ派の乱入時点で、アメリカのポリティ・インデックスはプラス7からプラス5に下降して、ついに「アノクラシー・ゾーン」に入ったのです。今のアメリカはもはや「完全な民主主義国家」ではなく「内戦のリスクが高い国家」になったという評価について白井さんはどう思われますか。

白井　「他国の秩序や民主化についてどうのこうの言う前に自分の国のことをご心配なさい

な」ということですね。米国内のリベラル対保守の対立の激しさを見るにつけ、もう一つの国であることとの限界に達しているように思えます。青い州と赤い州で別れるのが自然だと言いたくなるほどの分断です。そうしないのは、別れてしまったら世界に君臨する超大国たり得なくなるからだということですよね。第三者的に見れば、君臨してくれなくて結構、ということでしかない。ですからいま、アメリカが帝国主義国家であることと、無理矢理に統一を保っていることが、コインの裏表のようになっているのだと思います。アメリカが分裂すれば、軍事力の維持もできなくなり、自動的に世界支配から手を引かなければならなくなります。

民主制国家こそが内乱の危機にあるというのは、肌感覚でわかりますね。フランスも年金支給年齢の引き上げ問題などで政府と民衆の対立が激化していて、何かフランス革命の再来のような雰囲気になっています。

没落する国家と共倒れしないために

白井　ウクライナ戦争の背景にはドイツ外交の失敗もありますね。ウクライナではもともと東部のドネツク州とルハンスク州で親ロシア勢力による反政府・独立運動があり、そこにロシアが介入して「ドンバス紛争」という武力衝突に発展します。それで停戦の「ミンスク合意」が結ばれました。最初の合意は２０１４年９月の「ミンスク１」ですが、これがすぐに破られて

2015年2月に「ミンスク2」が結び直されました。ミンスク合意の仲介の中心はドイツです。しかしこの停戦合意も破られて内戦が続き、ついに2022年2月、ロシアが全面侵攻するに至りました。

要するに、2015年のミンスク2が破られるような内部的な要因がロシアにもウクライナにもあったにしろ、ドンバス紛争を鎮める大親分としてドイツは力不足だったというわけです。しかも今になってメルケル元首相は、ミンスク2はウクライナ軍の強化のための時間稼ぎをするためのものであって、ハナからしっかり守らせるつもりはなかった、などと言い出しています。

一方でアメリカは何をしていたのか。ミンスク合意というかたちでドイツのヨーロッパにおける外交的存在感が増すことを全く快く思っていませんでした。だから先にも述べたとおり、ノルドストリーム2はやめろと圧力をかけ続けていたし、その破壊もアメリカの仕業とさえ言われているわけです。

結局、ドイツ親分もアメリカ親分も駄目となっている今、中国親分が「俺に任せろ」と出てきつつある。さて、どうなるか。これが最も注目すべき国際情勢でしょう。

内田　中国が「時の氏神」になれたら、これは中国の歴史的な外交的成功であり、世界の基軸がアメリカから大きく中国にシフトしたというふうに国際社会は解釈するでしょう。ただ、ウクライナとロシアが中国の調停案を蹴ったら、ドイツ、アメリカと同じように面目丸つぶれになる。

白井　習近平の前にロシアに行った外交トップの王毅政治局委員がかなり話を詰めていたはずです。ゼレンスキーとの電話会談の直前にも習近平の腹心の李尚福国防相がロシアに行っています。プーチンとしては習近平に何とかしてもらうしかないという心境なのでしょうね。モスクワでの習近平の歓待ぶりはすごいものでした。

問題はどんな条件提示があったのか。どこまでだったら妥協できるのかなど、相当具体的に協議されたはずです。もちろん、ゼレンスキーとの電話会談前にもウクライナと中国の間で、停戦の条件などがずっと協議されていたはずです。もし習近平がキーウに行くとすれば、9割方は話が決まっていて、あとはだるまの目を入れに行くだけと見ていいでしょうね。

内田　アメリカの没落は、見方を変えれば、属国日本にとっては、国家主権を回復して、主権国家になる絶好の機会でもあります。日本がアメリカの単なる属国でいるよりも、アメリカとは違う世界戦略に基づいて、独自に世界秩序を構想する独立国である方が、アメリカにとって利益が大きいというふうに今こそ説得すべきだと思います。

白井　アメリカの没落で東アジアはどうなるのか。シナリオはいろいろ考えられますが、大まかに言えば「中国の時代」ということでしょう。アメリカがそれを渋々であれ認めるのであれば、たとえば台湾問題はある意味で自然消滅していく方向になって戦争の可能性も低くなります。あるいは逆に、アメリカが半ばデスペレート（やけくそ）になって、「こうなったら東アジアで巻き返すしかないんだ」と米中戦争に突っ込んでいく。そのどちらかではないでしょうか。

内田　今のアメリカには対中国で事を構えるだけの気力体力はないと思います。9・11直後には国民の好戦気分が亢進して、戦時大統領の支持率が90％という異常事態になりましたけれども、バイデンが90％の国民世論の支持を得て台湾を取り戻すために中国との全面戦争に突っ込んでいくという展開はまずあり得ない。たぶんアメリカの一般市民の相当数は台湾がどこにあるのかもよく知らないんじゃないかな。だから、仮に中国の軍事侵攻があっても、「台湾を救え」という国民世論が湧きたつということはないと思います。

白井　先制攻撃でも食らわない限り無理ですよね。

内田　アメリカは自国市民が殺された場合には火が点きますけれども、台湾が先制攻撃されても、米国市民の死傷者が出なければ、感情的な反応はしないと思います。「台湾有事にコミットすることはアメリカの国益にプラスかマイナスか」という議論をだらだら続けると思います。

もちろん台湾はアメリカに見捨てられるリスクも勘定に入れて、抵抗のための戦略を構想していると思います。武力侵攻にも全力で耐えようとするでしょう。最近会った台湾の人も「徹底抗戦します」と言っていました。台湾の人口は2300万人、ここまで自力で民主主義を獲得してきた民主主義国家ですから、仮に主要な軍事拠点を破壊できても、アンダーグラウンドのレジスタンスは続くでしょう。全土を完全に制圧するためには、その後長期にわたって数十万の兵士と行政官を台湾に貼り付けておかなければならない。プーチンもウクライナなんか3日もあれば制圧できて、すぐに親露傀儡《かいらい》政権ができると思っていたはずですが、思惑通りには行かなかった。中国が台湾を相手にする場合だと、ロシアがウクライナを相手にしたように、経済活動ができなくなるところまでめちゃくちゃに社会的インフラを破壊するわけにはゆかない。台湾の半導体事業を無傷で手に入れることが戦略目標の一つなわけですから。だとすると、電撃的な軍事侵攻で台湾が戦意を喪失して、ただちに親中派の傀儡政権ができて、国際社会が台湾支援をしようとしても、支援する先がないというシナリオ以外には旨味がない。僕はそんなにうまい具合にことは運ばないだろうと思います。

でも、アメリカが台湾を見捨てるというシナリオも十分に蓋然性がありますから、その場合に東アジアがどうなるかも考えておいた方がいい。「Foreign Affairs」の少し前の記事に、アメリカが台湾を見捨てた場合に、日本と韓国はアメリカに不信感を抱くよりもむしろ対中国の危機感を募らせて、よりアメリカにすり寄って来るという予測が書かれていました。だから、日本と韓国については心配しなくていい、と。ひどいことを書くと思いましたけれど、僕はアメリカが台湾を見捨てた場合に日本国民の対米感情は一気にネガティブな方向に振れる可能性はあると思います。

アメリカは当てにできないとなると、頼みになるパートナーは韓国しかありません。日韓は人種も宗教も文化も非常に近い。米中と「等距離外交」を展開するとなると、日本単独でやるよりは日韓が歩調を揃えた方がはるかに効果的です。韓国の尹錫悦《ユンソンニョル》大統領が徴用工問題を和解の方向に持ち込み、日韓関係の修復に前向きなのは、アメリカが没落し、中国が進出している今の西太平洋では、日本と組んで共同防衛のかたちを作ることが国防上有効と判断して、反日的な国内世論を抑え込んでも日本と接近しておくという戦略の瀬踏みをしているのだと僕は思います。

白井　それから、中国が繰り返し強調することですが、国際法的に見た場合、台湾問題は中国の国内問題なんですよね。アメリカも日本も、「一つの中国」を認め、その政府は北京の政府であると認めた条約を中国と結んでいます。ですから、国際法と条約の建てつけからすれば、台湾問題はどう見ても国際問題ではなく、中国の国内問題だということになる。仮に台湾有事の可能性が高まれば、中国はこの論点をいまよりも一層強く打ち出して、国際社会に訴えるでしょう。そして、論理的にはこの主張に反駁《はんばく》するのは難しい……ここに台湾問題とウクライナ紛争との大きな違いがあります。

とにもかくにも、台湾有事が発生などしてしまったら、大変な悲劇になります。今の日本がなすべきことは、その発生をあらゆる手段を尽くして防ぐことです。実際、台湾の有識者のあいだでも、その発生の可能性が相当の危機感をもって語られている。とはいえ、武力統一は中国共産党にとっても、あまりにリスクが高すぎる選択肢であるはずなのです。習近平も安易にそれを選べるはずがない。

問題は、では中国の指導部が本音のところでどうしようと考えているのか、探ろうとすらしなくなっていることです。この間、信頼関係のあるパイプが失われた、あるいは無効化してしまった。深く入り込もうとしただけで、「親中派」「中共のスパイ」などとレッテルを貼りつける愚劣な右翼ポピュリズムが跋扈《ばっこ》しているからです。

したがって結局は、この問題でも、日本は独自の判断ができずにアメリカに引きずられるがままとなるでしょう。

第3章
加速主義化する日本政治

安倍晋三の妄想とカリスマ性

白井　2015年の安全保障関連法案の時には大規模な国会デモがあり、メディアも盛んに報道していました。新しい安保関連3文書も同じく歴史的大転換なのですが、あのような反対の熱量がありません。こうした違いを内田さんはどんなふうに見ていますか。

内田　一番大きな違いは安倍晋三という強烈なキャラクターがいたことだと思います。安倍さんは妄想的ではあれ、本気で「戦争ができる国」にする気でいた。大日本帝国の統治スキームに戻そうと本気で考えていた。彼の人気はその妄想のスケールの大きさにあったと思います。

でも、その後の菅義偉前首相も岸田現首相も全く妄想的なタイプではありません。ただ単に安倍路線が成功したからというだけの理由で戦争シフトを踏襲している。でも、別に大日本帝国を再興するほどの気はない。政権が延命できればそれでいいという理由で安倍路線を引き継いでいる。安倍元首相が亡くなったあと自民党の求心力は急速に衰えていますが、改めて自民党の求心力は彼の個人技だったということがわかります。それだけのカリスマ性があった。

白井　確かに菅さん、岸田さんを見ていると、安倍さんにはある種カリスマ性があったんだなという気がしてきます。非常に左翼的な若いフリーランスのライターが「安倍さんが亡くなって以来、元気が出ないんです」と言ってきたので、「君は勉強が足りん。俺の本をもっとちゃんと読め」と叱っておきました（笑）。「安倍さん個人はどうでもいい、構造あるいは体制が問題なんだ」と。

内田　構造やシステムの問題では感情的な反応を喚起できません。日米合同委員会を通じて米軍が日本を支配しているのだと言われても、そういう目に見えないシステムに対しては強い感情的反応を示すことはできないんですよ。

白井　私は構造に対して腹を立てられる人間なんですが、それはやはり一定の訓練を受けているからでしょうか。

内田　観念や構造にリアリティを感じられるのが「知識人」なんですよ。ふつうはどんな政治的理念でも人格的に表象されないとなかなか感情的反応は生まれない。だから、国家の指導者に必要なのは、たとえ妄想的であっても、わが国の未来はかくあるべきだという手触りのはっきりしたイメージを提示できるということなんだと思います。習近平もプーチンもトランプも妄想的ですけれど、国家像の解像度は高い。

安倍さんは現行憲法を廃して、戦前型の軍事国家を再建してゆくことをはっきりとめざしていた。民主主義とか人権とか多様性とか、そういうものを全否定する安倍さんの思想に共感する人たちがそれだけいた。でも、岸田さんには日本の未来に関して何もイメージがないと思います。

白井　息子に議席を禅譲できたらいいなくらいしか考えていない（笑）。

内田　自民党は世襲議員だらけですけれど、これがやはり自民党の政策構想力を致命的に殺いでいると思います。世襲議員は家業として政治家をやっているわけで、議席を保持することが最終目的です。別にぜひとも実現したい政策があるわけではない。だから、そのつど党内の多数派にくっついて大臣ポストを得れば「上がり」という「世襲議員すごろく」を演じている。今の日本の指導層はあらゆる領域で世襲が幅を利かせるようになりましたが、それが日本の衰退の一つの理由だと思います。

白井　代が下ってくると、いよいよ駄目になってくる。岸田さんの出身派閥の宏池会は、思想傾向の上ではもはや実態がありません。

内田　清和会もいずれ解体するでしょう。清和会のみならず、今の自民党にはもう「人物」がいませんから。清濁併せ呑む器量があるという政治家はもういない。かつての自民党は「国民政党」でしたから、野党とも対話のチャンネルがあり、水面下でさまざまな駆け引きがあり得た。今の自民党の政治家の中に、野党との「太いパイプ」を持っている人なんか一人もいないでしょう。

白井　しかも、永田町関係者に聞いた話ですが、それでも世襲議員は小選挙区の候補者公募で応募してきた議員よりはマシなのだそうです。というのは、世襲政治家は地盤がしっかりしているので、本人に資質さえあれば、勉強する時間もあるので良い仕事ができる可能性がある。他方、公募組は地盤が弱いから勉強する暇もない。そもそも筋の悪い政治ゴロでどうしようもない。確かに、常軌を逸した下半身の問題などを引き起こしてきたのは公募組ですね。政治家のリクルートシステムが構造的にダメすぎるのです。本来求められるべき資質を具えた人間が政治家になる仕組みになっていない。

内田　政権与党の政治家に必要なのは何よりも「器」だと思います。僕の知り合いで大学時代過激派だった人が卒業しても就職先がなかった。親から「角栄先生のところに行け」と言われて、行ってみたら田中角栄から「若い時は革命をやるぐらいの気概がなきゃいかん」とほめられて就職先を紹介してもらったそうです。もちろん、彼はそれ以後越山会青年部の熱烈な活動家になった。剛腕政治家というのは、そういうものだと思うんです。とにかく先に「貸しを作り」、「恩を売る」。それが回収できるかどうかはわからない。でも、何かというときにこれまでの貸しを「一括回収」することができる。戦国時代に食客数千人を厚遇した孟嘗《もうしょう》君《くん》という人がいました。「鶏鳴狗盗《けいめいくとう》」の故事で知られていますけれども、あれが政治家のあるべき姿だと思いますね。「泥棒の名人」でも「鶏の鳴き真似名人」でも、「そのうち役に立つことがあるかも知れない」ととりあえず受け入れる。

白井　徳田虎雄元衆議院議員が作った医療法人の徳洲会も共産党崩れ、新左翼崩れ、右翼崩れの巣窟だったらしいですね。「共産党にいたんですが、いいでしょうか」と言うと「そうか、革命をめざしていた君は立派だ。今日から日本の医療革命のために頑張ってもらう」と（笑）。

内田　政治において大事なのは広がりのあるビジョンを提示できるということだと思います。たとえ実現の困難な夢物語であっても、それを聞くと心が晴れ晴れする物語を語れるということが一番大切だと思います。

白井　菅さんの追悼の辞によると、安倍さんの口癖は「日本よ、日本人よ、世界の真ん中で咲きほこれ」でした。それを聞いて心が晴れ晴れする人たちがいたということらしいのですが、あまりに安っぽく理解に苦しみます。

「評価の数値化」の悪影響

白井　「人物」とか「器量」といったものは数値化できないものです。そういうことが言われなくなってから、明らかに日本社会がおかしくなってきた気がします。たとえば会社の人事でも「この人は器が大きいからいい」みたいな評価で出世することは、今はもう全くないのでしょう。

内田　人間の器量を測れなくなったのは、時間意識が縮減しているせいだと思います。人間の度量や能力を長いタイムスパンの中で考量する習慣がなくなった。昔は、何を考えているのかよくわからないけれども、茫洋《ぼうよう》とした子どものことは「大器晩成」といって肯定的な評価が下されたものです。「晩成」ということが言えるのは、あと何十年先かわからないけれども、この子の真価がわかる日が来るというようなゆったりとした時間意識があったからです。

僕が子どもの頃、1950年代の日本の基幹産業は農業でした。まだ人口の40%が農業従事者だった。だから、社会そのものが農事暦的な時間意識の中で動いていた。学校教育がそうでした。春に種を蒔《ま》いて、肥料をやり水をやり、お日さまに照らされているうちに秋になると何かが収穫される。子どもたちは植物のようなものとして眺められていた。農業だと人間が管理できるのはたぶん2、3割で、あとは自然任せです。日照も、降雨量も、台風や病虫害も、人間はコントロールできない。だから、春に蒔いた種子が秋にどんな収穫物に化けるかよくわからない。とりあえず何かが実ればそれでいい。そういう穏やかな植物的な時間意識の中で学校教育も営まれていた。

けれども、ある時期から基幹産業が農業から工業に変わった。そうすると学校教育も工場における工業製品の製造をモデルにして語られるようになった。工場の中ですべてが行なわれるわけですから、理想的には100%工程管理ができる。仕様通りの材料を揃えて、ベルトコンベアに乗せて加工すれば、決まった納期までに、規格通りの製品が、注文個数だけ出来上がる。それが「価値あるもの」を作るプロセスだとみんなが思い込むようになった。仕方がないんです、人間は基幹産業モデルに基づいて社会のあるべきかたちを構想するんですから。でも、そうやって学校教育でも、工程管理、品質評価、質保証、査定、格付け、というような工学的な言葉づかいがされるようになった。

白井　いまのお話は二段階に分けて考えられるのではないでしょうか。工業社会になった時点で、機械の動きに合わせて働ける人間が求められて、ミシェル・フーコー言うところの「規律訓練」が叩き込まれるようになった。教育によって製造される人間も機械になれ、というのが第一段階。産業の構造転換が起こって工業社会からポスト工業社会になると、第三次産業が主要産業になる。つまり、対人コミュニケーションが主要業務になるわけですが、そこでは第二次産業の論理がコミュニケーションに持ち込まれるのです。すなわち、工業生産物のように規格化されたコミュニケーションを淀みなくこなせる能力が求められるようになる。だから、規格に合っているかどうかを細かく査定する傾向が強まる。

典型的なのが大学教員の採用ですよね。ある大学で人事担当を経験した人から聞いたのですが、点数方式でこういう論文を書くと何ポイントなどと細かく決まっているそうです。Aさんは93点、Bさんは95点。Bのほうが2点高いからBにしようと。で、その人いわく、そういう「公正」なやり方でやってきた結果、失敗ばかりしているというのです。

内田　僕は神戸女学院大学に採用されるまで、公募で8年間に32校に落ちました。ようやく33

校目で神戸女学院大学に拾ってもらったんです。レヴィナス哲学とか反ユダヤ主義とか、ふつうの仏文学徒が研究しないような変なことばかりやっていたから、業績が「査定不能」だったんで、仕方がないんですけど。

白井　その人事担当者は、点数よりも「この人を採りたい」というふうに採用したほうが成功するとも言っていました。本当は、論文に点数はつけられないわけです。確かに「よく調べて勉強している。真面目な研究者だな」とわかる論文は、いい論文と言えばいい論文です。けれども、何かよくわからないけれども器を感じる、つまり、将来性を感じる論文というのがあります。どちらがいいか。しばしば器、将来性のほうです。しかし、それは数値化できないものです。

内田　人事の15%くらいは「バカ枠」で採ってもいいんじゃないかと思うんです。「査定不能」という枠で採る。秀才というのは「みんなができることをみんなよりもうまくできる」。だから、当然スコアは高い。でも、若い時に早々とすぐれた業績を上げて、学会でも注目されて専任教員ポストを得た学者は、ポストを得たあとに研究のインセンティブを失うケースが少なくない。

白井　新進気鋭とか言われて出世の早い研究者にも、そういうところがあります。

内田　秀才は受験勉強のつもりで研究するので、ポスト獲得という目標を達成すると研究を続ける意欲が見えなくなってしまうんです。あとは学内政治に熱心になったり。

白井　わかります。僕の場合完全に、消滅寸前の「バカ枠」でもって何とか拾ってもらった。ただ変なバランスもあって、秀才タイプの人たちが学内行政をやってくれるから大学が回っているところもあったりします。微妙ですよね。

内田　そうですね。結局はいろいろなタイプの教員がばらけているほうがいいのかも知れない。どんな組織もそうですけれど、秀才ももちろん必要なんです。仕事させると手際がいいですから。でも、15%ぐらいは「査定不能」という人が入っているほうがいい。もちろんその中にはただの「変人」であって、採用したはいいけど、何の業績も上げずに定年を迎えたというケースもあると思います。それはしかたないんです。でも、たまに「査定不能」枠から桁はずれの「オーバーアチーバー」が出てくる。100人の組織に3人オーバーアチーバーがいれば、その組織は十分に持ちます。でも、今日のような「厳密で客観的な」評価で人事をしていると、オーバーアチーバーはまず採用されない。

自民党は心が広いのか、狭いのか

白井　日本の政治の話に戻りましょう。今の自民党は駄目になっていると言いましたが、かつての自民党の派閥政治はどうだったのか。自民党の派閥は、要は誰それをみんなで盛り立てて総理総裁にするんだというために存在したので、そこで機能していた価値はそれこそ器だったわけです。「器」を感じさせる者でなければ、派閥の領袖にはなれなかった。

昔の自民党は多様だったという言い方もよくされます。確かにいろいろな傾向を代表するそれぞれのグループがありました。その中に、アメリカの出先機関であると同時に極右であるというグループがあったわけです。それは安倍さんの祖父・岸信介に代表されるものです。要するに、戦時の罪をアメリカに免罪してもらうことによって復権したグループです。

元朝日新聞記者の鮫島浩さんからこんな話を聞いたことがあります。ある日、宏池会の宮澤喜一さんが「俺たちの一番大事な仕事は何かわかるか」と鮫島さんに尋ねた。彼は「わからない」と。宮澤さんは「岸みたいな一派が偉そうにするのを何が何でも抑えることだ」と言ったそうです。

今の自民党からこうした声はほとんど聞かれません。いろいろな紆余曲折を経て安倍一強となって、安倍さん亡きあともアメリカの出先機関的かつ極右的グループだけが肥大化している状態です。多様だったはずの集団は、いつの間にか最悪のタイプの対米従属派によって占領されるに至った。

内田　昔の自民党には政治的出自の異なる政治家たちが混在していました。僕のかつての岳父《がくふ》の平野三郎は自民党の衆議院議員でのちに県知事になった政治家ですが、戦前は第二次共産党の幹部でした。学生時代に入党して、逮捕されて、特高の拷問を受けて、転向して出てきたという経歴の人です。岳父のように戦前は左翼で、戦後は自民党国会議員という人は他にも何人もいました。その逆に、戦後の片山哲内閣の農相になった平野力三は平野三郎の叔父ですが、戦前は反共的な農民組合運動の指導者でした。政治的出自は違うけれども、人間は知っている。実現したい社会的理想は近いけれど、そこに至る手段が違う。そういう人たちが違う政党にばらけていて、人間的なつながりを持っていた。

以前、民主党政権の時の官房長官だった仙谷由人さんに「評価する政治家は誰ですか」と聞いたことがあります。仙谷さんは東大全共闘の弁護団を長くつとめていた人ですけれども、僕の質問への答えは「森喜朗と山崎拓かな」という意外なものでした。

森内閣の時、台湾総統を退任して間もない李登輝が心臓病治療のために渡日を希望したことがありました。外務省は中国に配慮してビザの発給を渋った。それで仙谷さんが森首相のところに行って「ビザを出してくれないか」と頼んだら「いいよ」と即答したそうです。ここで外務省に多少無理を言っても、仙谷由人に一つ「貸し」を作っておく方が政治的にはプラスになると判断したということでしょう。野党政治家にでも、できる限り「貸し」を作っておく、それが「剛腕政治家」と呼ばれる人たちの特徴だと思います。野党の要求につねに「ゼロ回答」で応じていたら、何かというときに協力を引き出すことができない。それよりは、恩を売れるチャンスがあれば恩を売っておいて、政局の切所《せっしょ》で「あの時、君の顔を立てたじゃないか」で譲歩を引き出す。その方が引き合う。そういう駆け引きに長けた政治家がもう今はいなくなりましたね。

食えない「オヤジ政治家」たち

白井　そういう今の政界の中で、間違いなく森さんは面倒見のよさ、人情味において、群を抜いているのでしょう。もう現役ではないのにスポーツ利権の帝王としてずっと君臨できるのは、業界からある意味で非常に信頼されている証明です。汚職で逮捕された電通出身の高橋治之元東京オリンピック・パラリンピック大会組織委員会理事が、東京地検特捜部にどれだけ責められても口を割らず、ついに森さんの名前は出しませんでした。その動機が恩なのか恐怖なのか、よくわからないのですが。

内田　それだけたっぷりと「恩」をこうむっていたということなんでしょうし、ここで口をつぐんでいれば、必ずその分の見返りはあると確信しているからでしょうね。

白井　立憲民主党から無所属になった参議院議員の須藤元気さんが「麻生太郎氏は器がでかい」ということを言っていました。いわく、国会議員になり立ての頃、麻生さんから「飲みに行きましょう」と誘われたので行ってみたらとても楽しかった。麻生さんはああ見えて、二人きりになると腰が低く、話も面白い。首相経験者にしたら野党の新人参議院議員なんて無に等しい存在なのに、ずっと「須藤先生」と呼んでくる。翌々日には「先日は楽しい時間を過ごさせていただいて本当にありがとうございます」という直筆のお礼のハガキが届いたと。そんな話です。

内田　悪いオヤジですねえ（笑）。

白井　そうですねえ。しかし、逆から見れば、大物と言われるような政治家はそんなことしかしていないわけです。お礼状を書いているだけで日が暮れ、夜は宴会。勉強する暇などあるわけがない。

須藤さんは鈴木宗男参議院議員の話もしてくれました。拓殖大の先輩後輩の関係なので飲みに誘われて、宗男さんの行きつけの店を指定された。須藤さんは約束の時間の10分前に店に着いて待っていた。定刻になったら女将が「宗男先生から、申し訳ないけど15分くらい遅れるから、先に始めてくださいと電話がかかってきました」と。須藤さんは「いや、先輩ですから待ちます」と答えた。15分後、また電話がかかってきた。「申し訳ない。あと10分かかるからぜひ先に始めてください」と。女将は「先生、ぜひお先に始めてください」とすすめる。「いや、待ちます」と再び断ったら、その瞬間、ガラッと戸が開いて宗男さんが店に入ってきたそうです。明らかにそうやって人物評定をしているわけです。

内田　これまた食えないオヤジだなぁ（笑）。須藤さんは素直な人だし、魅力もあるし、発信力もある。オヤジ政治家たちからすると、まず味方につけておきたい若手なんでしょうね。

白井　こんなふうに誘われるのは、ある意味、須藤さんの才能ですよね。

内田　高市早苗さんが自民党県連会長を務める奈良県に知人がいて、前に「高市早苗ってどんな人ですか」と訊いたら、「実に腰の低い人だ」と言っていました。後援会の会合で全員にビールを注いで回って「もう、ほんとに先生のおかげです」ととりすがるんだそうです。みんなそうやって対面状況では「いい人」をやっている。

白井　内心どう思っているかはともかく、そこは完全にコントロールできるわけです。小池百合子東京都知事もそうです。

こんなエピソードがあります。２００５年の郵政解散の衆院選で、彼女は地元の兵庫から何の地縁もない東京10区に国替えして、小泉純一郎総理総裁の差し向けた「刺客」として出馬します。10区の自民党の関係者たちからしたら、党中央が勝手に決めた話だったので反感を持っていました。そんな中で後援会が立ち上げられた。

お歴々が何十人も集まる宴会で、小池さんは一人一人にビールを注いで回って、注がれたら全部一気に飲み干して、「わあ、おいしい！」とやった。それで完全に「小池を絶対に勝たせる」と後援会が一致団結したそうです。当の小池氏はその後トイレに籠っていたそうですが、そこも含めて高く評価されたのでしょう。日本のデモクラシーはそんなふうにして動いているのです。

内田　メディアに露出するときは過剰に傲慢であったり、攻撃的であったりする人が、いざ対面状況になると、ものすごく親しげに、低姿勢に接して来ると、その落差がむしろ効果的に働くんでしょうね。「自分にだけはこういう顔を見せるんだ」と錯覚して。だから、やっぱり「どぶ板選挙」って有効なんです。駅で通勤する人たちに手を振ったり握手したりして、それが何の役に立つのかと僕なんかは思いますけれど。安倍さんも愛想のよい人だったようですね。

白井　実際に安倍さんと接した人で悪く言う人はいませんね。

内田　個人的に会うと、だいたい政治家はみんな「いい人」なんですよ。それは僕もわかります。実際に会って話してみて、しみじみ「いやな野郎だな」と思った政治家って、ほんとに少ないですから。

白井　ただし、こうしたことはその人自身、どこかおかしくならないとできません（笑）。

〝底の浅い〟政治の進行

白井　今は国対政治も低レベルになっています。与野党間でまともな人間関係があまり成り立っていないこともあって「議論」ができない状況になっているように見えます。

内田　議論というのは、一方が他方を論破してけりをつけるというものではないし、ウィン－ウィンの正解に至るというものでもない。どちらかというと「当事者全員がみんな等しく不満足な解」に落とし込むものです。民主主義的な意思決定ってそういうものなんです。採決が終わったあとに、多数を制した方が大笑いをしていて、敗けた方がこめかみに青筋を立てているというような議論はしてはいけない。会議が終わった時に全員が同じくらいに不満足な顔をして議場を出てくるというのが「よい民主主義」なんだと僕は思います。

でも、いつの頃からか、勝った方が高笑いをして、敗けた方は顔面蒼白というようなものの決め方が支配的になった。僕は橋下徹さんの影響が大きかったと思います。2015年の大阪都構想の1回目の住民投票で僅差で負けた時、記者会見で「どうして負けたと思うか」と聞かれて彼は「都構想が間違っていたからでしょう」と答えたんです。僕はそれを聞いて、この人は危険な政治家だなと思いました。だって、都構想って、彼らが最優先で推進してきた政策でしょう。だったら、住民投票で負けても「政策としては正しかったが、有権者の理解を得られなかった」でいいと思うんです。でも、彼は「負けたのは掲げた政策が間違っていたからだ」と総括した。これを一部のメディアは「潔い」というふうに肯定的に受け止めたようでしたけれど、僕は非常に危険な考え方だと思った。というのは、これを逆にしたら、僅差であれ多数を制した場合に「正しかったから多数を制した」という言い方が可能になるから。「多数派であること」が「正しい」と同義なら、「少数派である」は「間違っている」ということになる。間違っているなら、そんな少数派の意見に配慮する必要はまったくない。間違っている政策に何が悲しくて譲歩しなければならないのか。

実際に、そのあとの大阪での維新の政治手法というのはずっとそういうものだったと思うんです。「多数派を制した」のは「民意を得た」ことであり、それは「全権を委任された」であるというふうに多数決の意味をずるずると読み換えていった。これは民主主義の理解として間違っていると僕は思います。

政治には勝ち負けしかなく、勝った方が正しく、敗けた方が間違っていたというシンプルで底の浅い政治理解がこの10年間急速に進行しました。それは維新だけでなく、自公政権与党にも、野党にまで浸透している。自民党の政治家たちは「安倍政権の間、6回の国政選挙に勝った。ということはアベノミクスは成功だったという意味だ」という没論理的なことを平然と言い放ちます。獲得議席の多寡と、政策の正否というまったく次元の違うものを混同している。相対多数を得たということは、それまでのすべての政策に成功したということだ、というようなことが「嘘」だということはいくらなんでも自民党の政治家だってわかっているはずです。けれども、そういう「嘘」を平然とついても国民がそれにぼんやり頷いているのを見て、なんだ簡単な話じゃないか、この「嘘」をつき続ければいいんだということになった。この没論理的な政治文法をどこかできっぱり否定しないと、複数の意見をすり合わせて落としどころを探るという民主主義的対話というのは存立できなくなる。

日本の民主主義というのは、村落共同体の合議制が基本モデルだったと思うんです。みんな集まって、だらだらと議論する。合意形成までに時間をかける。そのうちに、いろいろな可能性が消えて、最後に「もうこうなったら、これしかない」というところに落ち着いて、満場一致で話を決める。勝ったも負けたもない。「これしかない」という解は別に「たいへん好ましい」という意味ではありません。満場一致で決まったんだけれども、みんな何となく不満顔をしている。自分の意見が採用されて大喜びしている人なんか誰もいない。「不満足の程度が全員同じくらい」というのが、日本の伝統的な村落共同体的なデシジョンメイキング（意思決定）の特徴だった。

アメリカは複数のシナリオを並べて「使えないシナリオ」を順次消していって最後に「こうなったら、もうこのシナリオしかないか」というところまで行き着くのを待っているという話をしました。先送りしているうちに「思いがけない何か」が起こって、状況が一変するということはある。

白井　いまのお話は、かつてカール・シュミットが指摘した民主主義と自由主義の対立矛盾という論点と関わる気がします。シュミットいわく、リベラル・デモクラシーというのは同じような原理の結合物だと何となく思われているけれど、違うんだ、実は正反対のものの結合なのだ、と。なぜなら、民主主義は集団的に一つの意志を成立せしめる原理であって、つまり「同一性」の原理だ、と。これに対して、自由主義は利害や意見・価値観の対立を解消せずに、お互いに妥協しようという主義であって、その原理は「差異」だと。つまり、日本に限らず、世界中で古代から見られた、全会一致式だけれど全員が大満足にはならない衆議というのは、現代的に言えば、自由主義的なものなんだと思います。

橋下徹氏の登場によって政治文化が変わったと内田先生はおっしゃいましたが、そこで持ち込まれたのは、まさにクリアカットな「勝ち負け」ですよね。勝った集団と負けた集団をはっきりさせる。この集団内では「同一性」が成り立つ一方で、集団全体は当然、分断されます。シュミット的に見れば、これは民主主義の深化ではあるのです。シュミットに言わせれば、民主主義と独裁は両立する。なぜなら独裁とは、集団の意志をたった一人の者が代表している状態であり、集団的意志を成立させているという意味では民主主義の原理そのものだからです。

現代日本の政治がある意味で「民主主義的」になったことには、構造的要因があると思います。つまり、戦後の政治経済社会の構造が全般的に立ち行かなくなってきたなかで、国のかたちそのものが問題になるような政治的論点がいくつもあります。たとえば原発の是非なんてものは典型ですね。原発を続けるのか止めるのか、真っ二つに分かれざるを得ない。つまりは分断せざるを得ない。「少し気に食わないけれども、このぐらいだったらしょうがないか」と思える議題であれば、国対政治のようなネゴが成り立ちますが、そうはいかない問題が山積している。

いま問題になっている、岸田大軍拡・新安保関連3文書のようなものもそれですね。アメリカの言いなりになることで自分たちの権力が保たれるという動機に基づく、あっていいはずがない国策に関しては、何らかの妥協的な交渉、仕方がないと皆が思う落としどころを見出すことはできないでしょう。日本の政治の矛盾がシステミック（全体的）に高まっているので、もはや交渉して6対4で何とかするということが成り立たなくなってきているのではないでしょうか。

内田 でも、日米関係にも複数のパイプがある。「これがアメリカの国家意思」だというかたちで提示されるものも、どのパイプから来た話かで、ずいぶんニュアンスが違うと思うんです。ホワイトハウスから伝えられる情報と、連邦議会の議員から伝えられる情報と、在日米軍の司令官から伝えられる情報では、すべて温度差が違うはずです。だから、アメリカがほんとうは日本に何を求めているのかを知ろうとしたら、複数のソースからの情報を突き合わせる必要がある。でも、日本の政治家や官僚や学者たちが、米国内にそれぞれ信頼できる個人的なカウンターパートを持っていて、そこからの情報を突き合わせて、アメリカの意思を知るという作業をしているようには見えないんです。

先ほども米軍基地について触れましたけれど、大型固定基地を持ち続けたいと思っているのはとりあえず在日米軍だけだと僕は思います。それよりもっと緊急性の高い分野に国防予算を集中すべきだという議論は保守論壇では高まっている。「在外米軍基地は全部撤収しろ」という過激な主張をなす共和党ランド・ポールのような議員もいましたが、いまは民主党のロバート・ケネディJr.も同じことを主張している。アメリカといっても一枚岩ではない。

白井　自民党の中にも「このままいくと、日本はアメリカの弾除けになって焦土になる」と現状認識している政治家は何人かいるはずです。けれども行動を起こせないという状況にあるのでしょう。中には「もう一度焦土になるところからやり直すしかない」と、ある意味で諦めの境地になっている政治家もいます。

「維新躍進」の背景にある「加速主義」

内田　そろそろ自民党は自壊するのではないでしょうか。まだかろうじて利権欲しさの求心力はあるけれども、日本の未来のビジョンを共有することでの求心力はほぼない。ほとんど世襲議員という政党はさすがに持たないでしょう。

白井　しかし、彼らの権力維持への執念はすさまじいですからね。その執念のせいで、保つはずのないものが保ってしまう。それでも、2023年4月の統一地方選挙でいくつか保守分裂が起きました。自民党内部の力学は相当荒れてきています。奈良県知事選がその典型でした。4期務めた自民系の現職知事を「長くやり過ぎたから取り替えよう」という話になって、若い知事候補を党県連会長の高市さんがバックアップして立てた。ところがベテラン現職が「辞めたくない、もう一回出る」と言い出した。現職知事の後ろには、お隣り和歌山県の県連会長の二階俊博元自民党幹事長がいました。それで両者譲らず、両者出馬して保守分裂の知事選になりました。その結果、両者とも負けて勝ったのは、日本維新の会の公認候補だったわけです。

内田　統一地方選挙は「維新の躍進」という結果でした。大阪維新の会が大阪市議会でもついに過半数を獲得した。大阪維新の13年間で、大阪の地盤沈下は目に見えて進行しています。コロナ対策も駄目だった。教育も医療もひどいことになっている。IR（統合型リゾート）も破綻が目に見えている。にもかかわらず、圧倒的な支持を集めた。それはどうしてなのか。よく「大阪のメディアがほぼ維新の広報機関になっているからだ」と言われます。「維新の政治は失敗しているけれども、その事実を大阪の有権者は知らない」と。でも、それはありえないと思うんです。もう13年も維新の政治が続いているのですから、大阪の人が地盤沈下しているという事実を知らないはずがない。

では、どうして維新に圧倒的な支持が集まるのか。それは地盤沈下を含めて、大阪ではものごとが劇的に変化しているということについては、多くの人が実感しているからだと思います。「加速主義（accelerationism）」というアメリカ発の思想があります。もう資本主義は末期である。これから世界はポスト資本主義の社会に入っていくが、民主主義や基本的人権や社会正義といった古めかしい近代主義イデオロギーのせいで、資本主義はむしろ延命している。資本主義の欠点を左翼やリベラルが補正しているせいで、もうとっくに滅びてもいいはずの資本主義がまだ滅びていない。むしろ資本主義を暴走させて没落を加速し、資本主義の「外部」へ抜け出るべきだという思想です。

そのためには政府はできるだけ市民的自由に干渉しない「夜警国家」に徹する。社会福祉や公教育や国民皆保険制度などは、公権力が富裕な市民の懐に手を突っ込んで私財を取り上げて、それを再分配して社会的弱者に分け与える制度ですけれど、これは市民的自由への介入だからなくしてしまう。医療も教育もカネのある人間は市場で調達する。カネのない人間は医療も教育も諦める。

これが単なる「不人情」ということにとどまらず、そうすることで資本主義の矛盾を短期的かつ爆発的に亢進させて、ポスト資本主義社会に抜け出すという「未来」へのビジョンとして語られているところが思想として新しい。

先ほど白井さんが自民党の政治家の中には「もう一度焦土になるところからやり直すしかな

い」という諦めを語る人がいると言われてましたけれども、このやけくそな感じは加速主義と通じるところがあるように思えます。資本主義の外部、資本主義の次の段階に抜け出すためには、資本主義の終焉を加速させる必要があるという理屈は、まったく没論理的なんですけれども、妙に説得力がある。

哲学者の斎藤幸平さんはマルクスの『資本論』の中の「大洪水よ、我が亡き後に来たれ！」という言葉を引いて、資本主義の終焉を「大洪水」に喩えていますが、加速主義は「もうこうなったら『大洪水』をこちらから呼び寄せて、この資本主義システムが全部流れ去る様子をこの目で見たい」という暗い欲望を映し出している。

左右問わず、資本主義がもう末期的であるということは、気候変動や貧富の格差の異常な拡大やパンデミックやAIテクノロジーの暴走などからみんなもうなんとなくわかっている。潜在的、無意識的な言説も含めて、資本主義の末路についてのリアルなイメージを人々が語り出しています。環境破壊や餓死やAIによる人類の支配といったディストピアが描かれています。

ディストピアを事細かに語るのは「ディストピアの到来を阻止するため」というのは、オーウェルの『1984年』以来の英米のフィクションの伝統です。実際に「核戦争で世界が滅亡する物語」を1950年代以来アメリカのSF作家たちは語り続けてきましたけれども、核戦争は70年以上起きていない。

そういう意味では「ディストピアを詳細に語ることによってディストピアの到来を阻止する」という言説戦略には一定の有効性がある。加速主義者たちもあるいは「ディストピアを語ることでディストピアの到来を防いでいる」のかも知れないし、「自分が死ぬまでこんな生殺し状態がだらだら続くのはたまらない。自分が目の黒いうちに『資本主義の弔鐘《ちょうしょう》』を聴きたい」と思っているのかも知れない。どちらかわかりません。

ただ、僕は大阪の有権者の中にこのアメリカ発の加速主義的傾向が広がっていて、それが維新の政治をドライブしているという仮説は吟味してみる価値があると思います。

白井　知的にとがった日本の若い人と話すと、資本主義あるいは日本社会に対して、加速主義的な衝動を抱き始めてきていることがよくわかります。「この国はあまりにもバカバカしいから、もう早いところ焼け野原にしてしまえ」というすごく破壊的な衝動ですが、ある種の合理性がある考え方なので私自身、理解できてしまいます。

内田　少し前に若い経済学者が「高齢者は老害化する前に集団自決すればいい」と暴言を吐いて話題になりましたが、本人が本気でそう思っているわけではないにしても、そういう過激な言葉を聞きたいというニーズは確かにある。それは維新の政治に対するニーズと重なっているように見えます。

「モラル・ハザード」の蔓延

白井　アメリカの思想家フレドリック・ジェイムソンの有名な言葉に「世界の終わりを想像するほうが資本主義の終わりを想像するよりも容易である」というのがあります。それをもじって言えば、「日米安保の終わりを想像するよりも日本の終わりを想像するほうが容易」なのです。今の日本の政治はそういう状況ではないでしょうか。「もう日本を終わらせたほうがいい」というところまで来ています。

内田　たとえば、参議院議員を除名になったガーシー元議員に投票した人たちは、彼を国会に送り込むことで日本政治が少しでも「よいもの」になるという期待を持っていたわけではないと思います。むしろ「選良」の空疎さをあらわにし、国会の威信を引き下げ、国権の最高機関がいかに機能不全であるかを満天下に表したい。そういう攻撃的な欲求によって投票したのだと思います。

白井　それも加速主義的な破壊衝動です。加速主義的にそのルートを突っ走ると、途中でひどいことがたくさん起きます。

内田　でも、加速主義者たちは総じて若い人たちで、カオスの怖さを知らないんだと思う。社会秩序が崩れて、「何をしても公権力によって処罰されることがない」という保証を得た時に、暴力衝動がいきなり発動するという人間を僕たちの社会は一定数含んでいます。いまは一応法治国家であって、常識もそこそこ機能しているし、「お天道様が見ている」といった倫理的縛りもかろうじて残っているから、この程度の崩れ方で済んでいるんだと思います。このような縛りを全部解除して、これまで抑制されてきた攻撃欲・暴力性が解発された時に何が起こるか。カオスの怖さを若い人はあまりに軽く見ていると思います。

この無秩序に対する「なめた」態度は安倍政権の時に権力者自身が醸成したものだったと思います。公文書の改ざんが行なわれ、自分の支持者のために税金を湯水のように使い、国会で繰り返し虚偽の答弁をしても安倍政権は安泰だった。あれで政権交代が起きるようであれば、日本の民主制は健全に機能している、復元力が働いているということがわかった。でも、何も起きなかった。それを見て、日本の有権者も政治家自身までもが「日本の民主制はもう終わった」と実感した。安倍政権が盤石なのではなく、民主制が終わっているせいで、起きるべき政権交代が起きなかったのだと気がついてしまった。

白井　私はソ連が崩壊してから10年も経っていない頃のロシアに居た経験がありますから、国家が崩壊するとはどういうことか体感的に知っています。給料をロクに貰えなくなった警察官は市民に難癖をつけてカツアゲをするようになります。首都の国際空港の周囲の幹線道路の脇には、娼婦が群れをなして立つようになります。アルコール依存症・薬物依存症は蔓延し、平均寿命は劇的に低下します。

現に今の日本はこうした状態に徐々に近づきつつありますが、本来、不満を表明する機会はあるはずなのです。とっくに不満が爆発していて当然なのに、そうならない。ものすごく素朴な疑問ですが、なぜなのでしょうか。

内田　日本が「よくある腐敗国家」というある種の安定した政体に向かっているように感じるからなんでしょう。腐敗国家がどういうものであるかは、みんな知っている。そこではどういうロジックが支配的で、どういうルールで社会が動いていて、どういうふうにふるまえば「いい思い」ができるかもわかっている。このまま権力者たちが公権力を私的利害のために利用し、公共財を削り取って私腹を肥やす政治を続けていれば、遠からず日本は「途上国によくある独裁制の腐敗国家」に近いものにまで堕落する。五輪汚職における電通の「中抜き」は常軌を逸していました。どんな企業でも、政治権力に食い込んで長く金儲けをしようと思っていたら、もう少し合法的に見えるようにやるはずです。そういう配慮がまったく感じられなかったし、電通のブランドイメージを守ろうという気も感じられなかった。たぶん、日本はもう「火事場」だから、今のうちに取れるだけ取っておこうというふうに腹を括っていたからだと思います。

白井　安倍政権のアベノミクスは結局、よい効果は何もなかったわけです。しかし一つ、大きな状況の変化を引き起こしました。それは財政規律のような観念の破壊です。赤字国債は打ち出の小槌だからいくらでも発行していいという心理状態になって、いくらでも発行できるのだからいくらでもぶんどっていいという発想になってきています。そうなればもう腐敗は止まりません。

国会の威信を劣化させた〝罪深さ〟

白井　国際政治学者の三浦瑠麗さんの夫が2023年3月に業務上横領の容疑で東京地検特捜部に逮捕されて、彼女の関与も疑われました。「全く知らなかった」などと言っていますが、それはやはり通らないでしょう。私は仕事で2、3度三浦さんと話したことがありますが、基本的には何を投げかけてもいろいろ返答してくるけれども、全部はぐらかしです。論点が次から次にずれていって議論にならない感じでした。

内田　三浦さんに限らず、ある時期から、論点をずらして、問いにまじめに答えないという語り口が論争術の本筋になりましたね。でも、質問をしてくる相手が「バカ」に見えるようにするための技術なんか洗練させてどうするんだろう。

白井　三浦さんの最も信頼できるパイプは安倍さんだったはずです。第二次安倍政権下の日本の状況を私は「2012年体制」と呼んでいますが、彼女はいわばそのあだ花なのでしょうね。

内田　売れっ子の「論客」たちの多くは論点をずらして、質問する相手に無力感・屈辱感を与える技術に長けていますね。でも、その虚無主義の背景には、「もう日本のシステムそのものがノンモラルなのだから、その状況に最適化して、自己利益を最大化するためにはそれ以上にノンモラルにふるまうのがクレバーだ」という状況認識がある。

でも、たしかにこの「論客」たちには破壊力があります。対話や合意形成の場を一瞬で破壊するだけの力はある。でも、破壊に偏るのは、実力がないからなんです。新しくものを創造するのと、既存のものを破壊するのでは、どちらが大変かという話です。同じものであれば、創造するのに要する力の100分の1で破壊することができる。人が100の力をかけて創造したものを、1の力で無価値にすることができる。だから、この人たちは自分で作品を手作りして、「これが自分がほんとうに実現したかったものです」と言って差し出して、世の忌憚ない批評を仰ぐということをしません。たとえば、どんな未来社会を作りたいのかを示そうと思ったら、自分自身で小さな共同体を手作りしてみせるのが一番わかりやすい。「これが自分が実現したい未来社会の萌芽的形態です」と言って差し出せば、「ああ、この人にとってはこういう社会が理想なんだな」ということがわかる。でも、彼らはそういうことをしないでしょう。自分の実力以上に見せようとする人間は決して創造しない。ただ破壊するだけです。

白井　そうしたモラルの崩壊の先頭に立ったのが最高権力者だったわけです。安倍さんは「桜を見る会」に関する国会答弁で118回も検察の捜査情報と食い違うことを言いました。つまり、118回も嘘をついたわけです。

内田 国会は高いレベルの倫理性を要求する機関でなければならないという国民的合意があれば、118回も嘘をつくような人は排除されるはずです。しかし、彼は排除されなかった。垂れ流すように嘘をつくことによって、彼は国会を「権力者であれば、いくら嘘をついても処罰されない場所」にまで格下げした。国権の最高機関である国会の威信を劣化させた。それを彼は計画的にやったんだと思います。立法府の威信が低下すれば、相対的に行政府の力が増す。

白井 高市さんも国会答弁で、放送法の解釈変更に関する官僚メモに対して「捏造」と言い張るなど、安倍さんと同じような答え方をしていました。

内田 あれもある意味で狙ってやっているんだと思います。国会の威信が下がれば下がるほど、立法府の力が弱くなり、行政府と政権与党の力は強くなるから。今はもう国会議員になるためには世襲であったり、「どぶ板選挙」であったり、後援団体や企業の利害を配慮したりできれば「それで十分」というところまで国会議員の資格が下がってしまった。「よく、こんなやつが国会議員になれたな」というような人間が続出すれば、いずれ誰も国会議員に敬意を抱かなくなる。それは行政府にとっては独裁的権力が手に入ることを意味するのですから、望ましい展開なわけです。

そうやって行政府が肥大化するのと同期して、国会議員の質が低下していった。政権与党の場合は、もう「個人では国会議員になれない人間」が候補者に選定されている。党営選挙でなければ当選できない議員は執行部に決して逆らわないイエスマンになるしかない。そういう「ロボット」のような議員を増やすことで、政党そのものを権力的に組織し、かつ国会の威信を引き下げる……そういうことをもう10年以上やってきた。

安倍さんは「私は立法府の長だ」という言い間違いを国会でしましたけれど、あれは本音が出たんだと思います。自分は多数派の総裁であるから、自分が通そうと思った法案は国会を通る。だから、自分は行政府の長でありかつ立法府の長である、と。そう思っていたんでしょう。でも、「法律の制定機関」と「法律の執行機関」が同一であるような政体のことを「独裁制」と呼ぶわけですから、あの時安倍さんは「私は独裁者だ」と宣言したに等しい。今から思えば、そのような暴言を看過してしまったことが国会の威信を致命的に低下させてしまった。

白井　安倍さんは国会答弁で「総理大臣は森羅万象を担当している」とも言っていました。

内田　そんな言葉、ふつうの人の口からはなかなか出ませんよ。妄想とはいえ、安倍さんが独裁者をめざしていたことは間違いない。

白井　ファシズムの定義のひとつが、行政権力による独裁ですから、立法権力に対するここまであからさまな侮蔑がまかり通ってきたことは、今日の日本がファシズムの支配する状況にあることを物語っています。

ねじれた日本人の反米感情

内田　それでも安倍さんがあれだけカリスマ的なポピュラリティを得たのは、「大日本帝国」を再建して、戦争ができる国になり、「アメリカともう一度戦争をして勝つ」ということまで妄想していたからだと思います。「岸信介の怨念」があるとすれば、それは対米従属国家の完成ではなく、「大東亜戦争の仕切り直し」のはずですから。

白井　あの人にそこまで気宇壮大な妄想があったとは思えないのですが。

内田　本人がどこまで自覚的であったかは別として、安倍さんにそういう妄想を託した人たちはいたと思います。

白井　日本人の反米感情はねじくれて、わけがわからないものになっています。たとえば、いわゆるウヨクは「全部サヨクが悪いんだ」と、ほとんど論理の体を成さない、もやもやとしたどす黒い感情の塊のようになっています。なぜなら、こうした人たちは、同時に日米安保体制の強固な支持者なのですから。ウヨクのくせに。

内田　対米コンプレックスはほんとうにねじくれていますね。ある意味で対米コンプレックスは日本人全体に共有されている。一方に親愛の情があり、一方に反発の情がある。アメリカに従属し、親和し、一体化したいという思いと、「尊皇攘夷」「鬼畜米英」という伝統的なナショナリズムがどろどろしたアマルガムをなしている。アメリカに敗けて、占領されて、属国身分に落とされたことに対する国民的な悔しさはあって当然です。何とかしてもう一度国家主権を回復したい、国土を回復したい、独立国家になりたいという素直な思いが日本人にないはずがない。戦争に敗けるというのはこう言ってよければ「よくあること」です。歴史上戦争に敗けた国なんて山ほどある。多くは捲土重来《けんどちょうらい》を期して、臥薪嘗胆《がしんしょうたん》の思いに耐える。それがふつうです。でも、日本はそうならなかった。「次は勝つぞ」という当たり前の気持ちが抑圧されてしまった。

それが岸信介のような大日本帝国戦争指導部の人間をあえて戦後日本の指導者に据えたアメリカの狡猾さだと思います。岸は自分の敵国によって命を救われ、権力を与えられ、反共の砦の「代官」となることで生き延びた。だから、日本の右翼において反米感情は深く隠蔽された。フロイトが言うように、まさに「抑圧されたものは症状として回帰する」。自国を植民地的に支配している宗主国に媚びる「ナショナリスト」なんて世界で日本にしかいませんよ。これまで白井さんと話してきたように、今の日本人は国民的規模で「狂っている」と言ってよいと思いますけれども、それは抑圧された「尊皇攘夷」「鬼畜米英」の感情が出口を失って、心理の深層で腐臭を発している病態だと言っていいんじゃないでしょうか。

白井　その病態が最も鮮明に表れているのが萌え系のアニメのようなもの、いわばマイルドなかたちにされたロリコン趣味への惑溺、耽溺でしょうね。アメリカ的な理想的人間像から見れば、ロリコンは最低の悪趣味以外の何物でもありません。それに対して日本では、堂々と「何が悪い」とばかりに洪水のようにあふれているわけです。それはある種、アメリカに対する復讐でもあります。「お前たちは俺たちにデモクラシーを押しつけた。民主主義の立派な主体となるように頑張れと強制した。でも俺たちはそんなものには絶対ならない」と。

内田　統一教会問題にもそういう面があると思います。統一教会の掲げている家庭や社会像は明らかに反アメリカ的です。アメリカ人が理想とする統治理念や、自立した個人の評価を否定している。一方では対米従属をしておきながら、アメリカ的なアイディアに対しては「そんなものは私たちは絶対に認めない」と抵抗している。統一教会との癒着も「抑圧された反米感情が症状として回帰してきた」ものと見なせると思います。

白井　アメリカに対してすごく複雑なものがあるというのは、どれぐらいクリアに表明するかはともかくとして、ある時代までは日本人の常識でした。野坂昭如の『アメリカひじき』なんてその表現の典型ですね。評論家の江藤淳は「戦後の日本人はなぜ一生懸命に金儲けに邁進したのか。それはアメリカに対する復讐だった」などと言いました。多くの人は江藤のように言語的に明瞭化できていなかったけれども、それを聞いてみんなが「そうだ」と膝を打つ、納得するような話だったわけです。

金儲けを通じてのアメリカに対する復讐は一時的には相当のところまでいきました。けれども90年代以降、負けっ放しになってしまいます。それで復讐心の持っていき場所がなくなって、かつ復讐というモチベーションで金儲けしていたということもよくわからなくなってしまった。もちろん世代交代していくから、戦争の記憶は薄れていくわけですから。

内田　バブルの絶頂期の89年には、三菱地所がロックフェラーセンターを買い、ソニーがコロンビア映画を買いました。摩天楼とハリウッドを買った。これは経済戦争の勝利の「トロフィー」だった。当時の日本人は、口に出さなかったけれど、「二度目の日米戦争を戦って今度は勝った」という思いがあったと思います。

白井　同じ89年には昭和天皇が亡くなりました。できすぎた話ですよね。一度国中を焼かれたわけだけど、その焼いた相手を歯ぎしりさせるのを見届けて旅立ちました。

内田　89年は天安門事件があり、ベルリンの壁が崩壊した年でもありましたから、世界的なパラダイムチェンジの年だったんです。ただし、日本人はこのあとどうやってアメリカと交渉して、国家主権を奪還し、米軍基地を撤収させるのか、そのアジェンダがなかった。

それからもう30年以上経ち、世代交代も進みました。相変わらず日本はさまざまな面で属国扱いされていますから、今の若い人たちの中にも「これは不当だ」という意識はある程度残ってはいると思います。でも、もう経済戦争という「復讐の回路」がない。だから今白井さんが言われた「萌え系」とか、あるいはアメリカが日本に与えた西欧由来の民主主義や人権や政治的正しさに対する憎悪というかたちで表出している。

白井　2023年3月のWBC（ワールド・ベースボール・クラシック）の盛り上がりも、私に言わせればイデオロギー的にもの足りなかったわけです。せっかく日米決戦になったのに、この勝負に日本のレゾン・デートル（存在理由）が懸かっているとは誰も言わない。

野球と言えば、忘れがたいエピソードがあります。2004年にソフトバンクの孫正義さんがダイエーホークスを買収した時、初めて出席したオーナー会議で熱弁をふるったというのです。「何がワールドシリーズだ。ただの北米一決定戦じゃないか。アメリカのチャンピオンと日本のチャンピオンが太平洋決戦をやって真のワールドチャンピオンを決めねばならない」と。で、他球団のオーナーたちはどう反応したか。「そんなことができるわけがないだろう」と、全く白けていたそうです。当時の関心事は2005年にセ・リーグとパ・リーグの交流戦が始まること。サラリーマンオーナーたちがもっぱら気にしていたのは、「巨人戦で儲かるといいな」あるいは「巨人戦が減ると減収するかも」という、実にちっちゃな事柄だったわけです。

その頃、読売ジャイアンツのオーナーだった渡邉恒雄、ナベツネさんはドラフトにまつわる裏金問題のために職を辞していました。孫さんの熱弁についてメディアからコメントを求められたナベツネさんは、「その意気やよし。我々の世代には思いもつかなかったが、ぜひやってほしい」などと答えます。前向きの反応をしたのはナベツネさんだけだったのです。

象徴的なエピソードですよね。戦犯になった岸信介らを対米従属第一世代とするなら、ナベツネさんは敗戦時に19歳で、対米従属第二世代です。だからまだ道理がわかっています。敗戦後に生まれた第三世代以降になると、どんどん減り続けるパイを何とか自分だけは食い続けたいという心理しかない生ける屍になる。あるいは安倍さんのように妄想の世界に飛んでいく。今日の日本はそういう悲惨な状況です。

「改憲詐欺」に引っかかる愚かさ

内田 安倍さんは本気で改憲する気があったのか。白井さんはどう見ていましたか。

白井 「するする詐欺」だったのではないでしょうか。ジャーナリストの田原総一朗さんによると、集団的自衛権の行使を認める安全保障関連法が国会で成立した直後、田原さんが「いよいよ次は憲法改正だね」と水を向けた際、安倍さんは「その必要がなくなったんですよ」と答えたという。これが作り話だとは思えません。その後、今日の岸田大軍拡に至る推移を見ていると、確かに改憲の必要はなかったわけです。

内田 僕も改憲は「やるやる」と言い続けているだけで、本気ではやらないと思います。「負けたら終わり」だからです。たしかに国会で3分の2以上の賛成で発議はできますけれども、果たして国民投票で過半数の賛成が得られるかどうか、確実な見通しはない。否決されたら、自民党としては党是が否定されたことになる。確かに国政選挙では自民党が高い議席占有率を誇っていますけれども、それは選挙制度をつごうよくいじっているからです。コアな支持層は20%を切るぐらいしかいない。それでも50%が棄権して、野党の一本化ができなければ、選挙には勝てる。国政選挙ではそういう技が使えますが、国民投票ではさすがに棄権率が50%ということは期待できない。もし投票率が70%とかいう数字になったら、コアな支持層にさらに20%上乗せしなければならない。それだけの求心力が自民党にあるか。

これは前から言っていることですけれど、改憲の最大のハードルは、天皇陛下とホワイトハウスだと僕は思います。天皇陛下は政治的発言をなさらないけれども、どこかの段階で「戦後70年余、三代にわたって歴代天皇はこの憲法を心からたいせつにしてきました」という事実についいては言及されるはずです。これは迂回的には「改憲の必要性があるのか」という懐疑の表明と解釈される。ホワイトハウスは改憲がアメリカが日本国憲法に託した欧米民主主義の統治理念を否定するものだということについて、やはりどこかの時点で不快の念を表明するはずです。ニューヨーク・タイムズのようなリベラル系のメディアならはっきりと改憲はアメリカ的価値への裏切りだと言い出すでしょう。果たして天皇とアメリカを敵に回してまで改憲派が勝負に出るかどうか。

白井　天皇の介入の効力について、私はかなり懐疑的になっています。２０１６年の「おことば」表明という大変思い切った行為があったわけですが、その行為に含まれていた本質的次元での意味を読み取った国民はいなかったも同然だと思うのです。私は『国体論』を書いて、その意味を分析しましたが、知識人も恐れをなして受け止めようとしなかった。やはり、アメリカが実質的に天皇の役割を簒奪《さんだつ》してしまった状況においては、「天皇の言葉」は神通力を失うのです。

それから、アメリカの反応ですが、これはアメリカ自身の対中対決姿勢の度合いによって決まるのではないでしょうか。中国と決定的に衝突せざるを得ないという国論に傾けば、日本の民主主義に対する関心は失われると見ます。

とはいえ、自民党にとって改憲はリスクというよりもコストが高すぎて、得策でないということなんではないでしょうか。それに、閣議レベルでどんどん解釈変更ができるからやる必要もないわけです。

内田　そうですね。もう憲法の縛りがほとんど機能しなくなっている。現に憲法99条には公務員の「憲法尊重擁護義務」が定められているにもかかわらず、議員たちは平然と改憲を口にする。「護憲集会」を開こうとすると「偏った政治的主張をするな」と言って、公的支援を拒否する役所さえある。「憲法なんかいくら軽んじても構わない」ということを現に実践している連中が「憲法を変えることが重要だ」と言っていることの矛盾にどうして気づかずにいられるのか。

白井 極右を引きつけておくためには、「するする」と言うばかりで実際にはしないのが一番効率がいいのではないでしょうか。

内田 それでも改憲するとしたら、緊急事態条項をつけ加えることでしょうね。合法的に独裁政権を作れますから。

白井 それはありますね。合法的にファシズムを完成できる。

それにしても、憲法については、問題の本質的次元が相変わらず理解されていません。憲法と日米安保には矛盾があります。どちらが上位か。結局、日米安保なのです。さらに言えば日米地位協定ですら憲法より上です。そういう対米従属の構造が、解釈変更の動きを通じても、ますますはっきりしてきているわけです。この構造に手をつけない限り、改憲しようがしまいが大差はないのです。

内田 日本国憲法より日米安保、日米地位協定のほうが上位にあるというのは全くその通りだと思います。だからこそ自民党の政治家たちはあれほど憲法を軽く扱うんだと思います。日米安保のほうが憲法よりも上位という属国状態から何とか脱却しようとしてきた先人の努力が水泡に帰したのが今の日本の現実です。

白井　日米安保のほうが憲法よりも上位なのは、言うまでもなく非常にまずいわけです。憲法全体が軽くなってしまううえに、法秩序そのものが軽くなる。それは法治国家として基礎に安定がないということです。

内田　憲法は国の最高法規であり、国の土台です。最高法規について、それを尊重し擁護する義務を負う公務員自身が寄ってたかって「こんなものは価値がない。守るに値しない」と言っているわけですから、これではもう法治国家の体をなさない。

先ほど「集団自決」というような言葉を平然と口にする若手の知識人が出てきて、それを歓迎する世論があるという話をしましたが、その語に対して若い世代は強い情緒的反応を示さなかった。それだけ「敗戦の記憶」が継承されずに、具体的な歴史的事件と結びつく言葉が普通名詞のように通用してしまったんでしょう。

今の日本の若者たちは近現代史についての知識があまりに欠落している。この点では他国と比べて際立っている。それは近現代史について歴史的事実を教えようとすると、必ず政権サイドからクレームがつくからです。政府そのものが歴史修正主義に加担しようとしている国なんですから、歴史教育がまともにできるはずがない。

白井　かつては受験対策で近現代史も勉強せざるを得ませんでした。けれども少子化により受験競争が緩和したことで、どんどん緩くなり、どの学校でもきちんと教えなくなっていますね。歴史教育の問題に限らず、結局、日本人は集団的に一生懸命、わざわざ愚かになろうとしているわけです。この馬鹿げた振る舞いはいったい何なのでしょうか。

内田 でも、この愚行は日本に限った話ではないんですよね。加速主義の本場はアメリカですが、民主主義がかなり危機的な状況になっていて、国民的分断もとめどがない。内戦のリスクを語る人さえいます。中国だって強権的な統治で一見すると安定していますけれど、国内治安にあれだけのリソースを割かなければならないというのは、「海外からの侵略リスク」より「国内における反乱リスク」の方を政府が重く見ているということです。韓国だって、資本主義の勢いはすごいですけれども、これは明らかに加速主義的傾向です。ソウル周辺への人口の集中と、地方の人口減は日本の比ではありません。

白井 いわゆるヘル・コリア（地獄の韓国）ですね。受験、就職と競争が極めて激しく、格差も大きく、自殺する若者たちも多い。つまり、GDPは伸びているけれど、暮らしやすい国では決してないという状況ですね。

「人口減」を止められるのか

内田 日本も少子化が大変だと騒いでいますが、韓国のほうがさらに深刻です。2022年の合計特殊出生率は日本の1・26に対して韓国は0・78。これでは韓国がなくなってしまうというくらいの数字です。

白井　壊滅的です。韓国は人口問題をどうするつもりなのでしょうか。

内田　前に、総領事に韓国の人口減対策を伺ったことがあります。その時に「あまり本格的な対策をしていないのは、何となく当てがあるからだ」という答えでした。「当てって何ですか?」と訊いたら、「北があるから」。

白井　うーん、それでいいのか……。

内田　政治的な南北統一はまだまだ困難だとしても、経済的な交流はこれから間違いなく進行する。南は北に投資して、代わりに北は南にマンパワーを送る。北の人口は南の半分ですが、平均年齢ははるかに若い。若い労働者が北から南にやってきて生産年齢人口の不足を補う。南のビジネスマンはそんなことを期待しているらしいという話でした。

聞いて、なるほどと思いました。これから東アジアの先進国（地域）は中国も韓国も台湾も、どこも人口減局面に入る。台湾の場合はたぶん香港からの難民を当てにしていると思います。すぐ近くに同文同種で、政治的理念も近い約740万人の香港市民がいる。このあと、中国政府の民主派弾圧がさらに強化されると、香港を捨てて台湾に移住する人はきっと増える。

中国も14億で人口がピークアウトして、以後急激な人口減になります。「一人っ子政策」を

1979年から2014年までやっていましたから、人口構成がいびつです。「一帯一路」構想で中国は西にウイングを広げていますけれど、これは西アジアやアフリカからマンパワーを入れる準備だろうと思います。それに中国はアフリカ46カ国に61の孔子学院を設立しています。そこでまず中国語を教えて、優秀な生徒に奨学金を出して、中国に留学させて、学位を取らせる。彼らが祖国に戻ってやがて指導層を形成すると、親中派のケルンができる。かつてイギリスやフランスがアジアでやった植民地政策を中国もやろうとしていますが、たぶん主目的はこれから急減するマンパワーをアフリカから受け入れるルートを作ることだと思います。

白井　かつて東アジアは人口が多過ぎることが問題でした。食わせられない、と。一方で人口の多さは、資本主義の発展軌道に乗った時にはそれをブーストする巨大な力として働いてきたわけです。フランスの人類学者エマニュエル・トッドの分析によると、社会の高学歴化、とりわけ女性の高学歴化が進むと晩婚化して少子化します。これは万国共通ですが、アメリカやイギリス、フランスは少子化対策を行ない、ある程度のところで少子化が止まっています。いわゆる歩留まりですね。今、世界の中で全くとめどもない少子化が起きているのはどこかというと、ヨーロッパではドイツ、そして東アジア諸国です。

女性の高学歴化、社会進出が進んでいるのは基本的にリベラルな価値観に基づいた発展です。当然、人口減は困るという場合、リベラルな価値観に基づいた少子化対策を行ないます。しかし、なぜ米・英・仏と同じくリベラルな社会に見えるドイツや日本、韓国では歩留まりが現れないのか。

トッドによれば、ドイツや日本などは資本主義の発展に伴って表層的にリベラル化するけれども、根っこのところに権威主義や集団主義があって、合理的な対策が打たれないし、打ったところであまりうまくいかないからです。確かに日本では合理的な対策が全く打たれていませんん。宇野弘蔵は「労働力の商品化の無理」と言いましたが、東アジアの激しい人口減少はあたかもその証明であるかのようです。

そんな中、ハンガリーは注目すべき事例でしょう。ある種開き直ったのですね。周りはどんどんリベラル化しているからリベラル化しなければいけないとやってきたけれども、「もうそんなこと知ったことじゃない、われわれは伝統的価値観でいくんだ」と、権威主義的な政府が「産めよ、増やせよ」と大号令をかけて、ばんばんカネを出して出産を奨励することで、出生率をそれなりに上昇させています。

内田　WHO（世界保健機関）が2013年に発表した中央年齢の世界ランキングによると、日本が世界一高くて45・9歳。2位はドイツ、3位がイタリア、4位がブルガリア、5位がギリシャ、6位がオーストリア、7位がクロアチア、8位がスロベニア、9位がフィンランド、10位がポルトガルでした。ポルトガルは中立国でしたが、あとの9国は旧枢軸国か、枢軸国の傀儡政権があった国です。これを見ると、ファシズム国家は敗戦からある時点で一気に少子化するという傾向が統計的には示されている。

でも、どうしてなんでしょうね。これらの国々は、白井さんが話してくれたトッドの分析に従えば、権威主義的・集団主義的体質を持っている。だから、仮に何らかの歴史的条件で、一時期はリベラルな政策をとったにしても、いずれは抑圧されたものが症状として回帰してきて、リベラルな社会が滅びてゆく。そういうことなんでしょうか。

白井　こうした各国の違いに対してトッドは相対主義的な見解を取っています。端的に言うと、日本は根っこが権威主義なのだからそれでいい、仕方がないと。無理やりリベラルな政策が正しいとやっていくと人口問題が壊滅的なことになって国が滅びる。だから「もう無理はおやめなさい」というわけです。

内田　リベラルな政策をやめるというのも一つの考え方ですね。日本人はもともとリベラルな社会が嫌いなのだということなら、その方が自然ですから。今の日本で「左翼」、「リベラル」と言われている政治的潮流は、近代日本のオリジナルな反政府運動である自由民権運動とは直接つながっていません。自由民権運動は「有司専制を廃す」という「一君万民」イデオロギーと征韓論に軸足を置いたものでした。だから、朝鮮半島、中国大陸に進出して、欧米に対抗する東アジア諸国連合を作るという大アジア主義にそのまま流れ込んだ。これは今の日本の左翼、リベラルとはまったく筋が違う。日本の左翼、リベラルは伝統的な「革命の志士」の血脈と違うところから発生してきたわけで、この伝統とのつながりの欠如が日本左翼の弱さなんだと思います。

白井　同感ですね。現代日本のリベラルは、アメリカのリベラル・イデオロギーのコピーですから、要するにこれも対米従属なのです。日本のリベラルや左派には、いったいどういう将来があり得るのでしょうか。

内田　土着の文化の上に、外来のものを「トッピング」するという「習合」が日本文化の特殊性でした。リベラリズムについても同じことが言えると思います。土着の政治文化に、欧米渡来の民主主義の思想を「習合」させて、日本独特の民主主義を作る。要するに、立憲デモクラシーと天皇制を「習合」させるということです。工夫次第では非常にユニークな政体になり得ると僕は思っているのですけれども、誰も実験しようとしない。左翼は「天皇制との習合」なんて口が裂けても言わないし、右翼は立憲デモクラシーが大嫌いですから。

日韓の喧嘩は全くむなしい

白井　尹政権が示した徴用工問題の解決案は、韓国の財団が賠償金を肩代わりするというものですが、韓国の国内的にそれでうまくいくのか、やや疑問ではあります。

内田　僕は定期的に韓国の市民たちと対話していますけれども、草の根レベルでは、日韓が歩調を合わせて、より強固な同盟関係を打ち立てるというアイディアは韓国市民には好意的な受け止められ方をしています。

白井　ただ外交交渉として見た場合、韓国側の一方的な譲歩になっている感じがします。納得しない人たちがかなり多いのではないでしょうか。

内田　自民党政権は統一教会やら日本会議やら横から日韓関係にうるさく口を出す組織が多すぎて、合理的な国益判断ができなくなっているので、それくらいシンプルな話にしないと日本とのパイプが修復できないというふうに韓国政府が考えたのかも知れません。問題は、水面下のレベルで日韓の実務家がカウンターパートの間でどの程度詰めた話をしているのかです。このまま日韓の連携を深めることが国益にかなうというふうに考えている人が日本の外務省にいるのかどうか。

白井　日韓関係の場合、我々は和解したから前向きでいこうと一時的になっても、また大統領が代わると方針が変わる。他方、日本の世論は硬化する一方で、一切の譲歩は無用という雰囲気が年々強くなるばかりです。

内田　日韓関係って、ほんとうに一筋縄ではゆかないんです。日韓関係の「ねじれ」は幕末から始まってますから。僕は権藤成卿《ごんどうせいきょう》について今研究しているんですけれども、権藤のことを調べていると、頭山満、内田良平、鈴木天眼《てんがん》、福澤諭吉、宮崎滔天《とうてん》……とまことに多彩な人物が明治の日韓関係に登場してくるのがわかります。この時期の日韓関係というのは朝鮮の志士との個人的交流が基礎になっている点で、机上の空論であった幕末明治初期の「征韓論」とは趣が違う。個人的な信頼関係の上に構想されたものですから、樽井藤吉の『大東合邦論』にしても、権藤の「鳳《おおとり》の国」構想にしても、切れば血が出る生々しさがある。だから、彼らが朝鮮の近代化論者や革命指導者たちと肝胆相照《かんたんあいて》らすということも起きる。でも、李容九や金玉均は今の韓国では日韓併合に道を開いたということで「国賊」扱いになっている。

僕は日韓の間にあって歴史に翻弄されたこの人たちの事績について、日本人も韓国人も、もう少し丁寧に知るべきだと思うんです。複雑な歴史的な経緯を知らないまま、日韓それぞれが偏狭なナショナリズムのうちに閉じこもっていたのではタフな日韓関係は築けません。

白井　近い歴史に関して言えば、日本側の問題は、韓国の世論や対日感情とその展開に対して内在的に理解しようとする姿勢を欠いていることです。朴槿恵《パククネ》大統領を退陣に追い込んだ韓国の政治の民主化のダイナミクスには目覚ましいものがあるわけですが、これは単に朴槿恵がいかがわしい占い師の影響を受けていたことに国民が怒ったというような単純な話ではないわけです。韓国で長らく続いていた保守支配は、アメリカを後ろ盾としたものであると同時に、日本の保守勢力とも密接な関係を持つものでした。朴正熙《パクチョンヒ》と岸信介との深い関係、岸信介と統一教会との蜜月関係はその象徴とも言えます。だから、韓国における民主化運動とは、韓・米・日という複数のアクターから成る権威主義的かつ暴力的な権力構造に対する、大変な犠牲を払った挑戦であったわけです。朴槿恵退陣と文在寅《ムンジェイン》政権の誕生は、この民主化運動の新局面でした。

だからこそ、文政権の対日姿勢が強硬に見えたのは当然で、それは日韓間の歴史の清算のみでなく、韓国内の既成の権力構造の清算をも意図するものだったという面があるでしょう。尹錫悦政権の登場は、この流れに対する反動であるわけですが、ここから韓国の社会が揺れていることが読み取れます。というのも、民主化勢力が朴正熙的なものを否定し尽くすならば、究極的にはそれは革命＝政体の変更を意味するわけで、現在の大韓民国は過去の大韓民国との連続性を失います。そのようなことが、韓国にとって対内的・対外的に可能なのか、合理的なのかどうか、そうした問いに韓国社会は直面しているのでしょう。こうした流れを最低限理解しなければ、建設的なかたちで過去の清算に取り組むこともできないはずです。

尹政権の解決策は、要するに韓国の財界が資金を出して財団みたいなものを作って、新たに元徴用工の被害者に補償をするから、日本の企業も大人の判断でそこに資金を出してくれというものなのだと思います。実はこのかたちは、安倍政権が徴用工問題に介入する前に模索されていた解決案に近いものです。日本の企業も国際法的に払う義務はないとは言っても、やはり道義的にどうかという問題があるから解決金を払うつもりでいたわけです。

内田　元徴用工と同じような中国の被害者には日本の企業は賠償金を払っていますよね。

白井　そうですね。そのことは、韓国国民の世論に随分影響しているようです。ゆえにそれに配慮した方策をとろうとしていたところ、安倍政権が「筋論から言って一切払う必要はない」と言って介入したものだからこじれてしまった。つまり、安倍政権の負の遺産なのです。

内田　日韓関係、日中関係、日露関係、どれをとっても安倍外交は負の遺産しかありません。でも、ある意味では個人的な逸脱であるわけですから、回復しようと思えばできるはずです。

白井　ただ右派の中では、負の遺産だらけの安倍外交は非常に評判がいいのです。しかし、とりわけ対米従属の深化を評価しているわけですから……。

内田　僕は正直言って、ある強国に従属することがどうしてそんなに喜ばしいことに思えるのか、彼らの頭の中が理解できないんです。でも、日米関係だってどうなるかわかりませんよ。アメリカの先行きがあまりに不透明ですから。

白井　アメリカの本当に怖いところは、特にネオコンの連中ですが、戦争したいとなったら何が何でも戦争を作り出すことです。だから台湾有事もあっておかしくありません。

内田　アメリカは自国の兵士が死なないように、ミサイルやドローンでの戦争にシフトしていますから中国との全面戦争には共和党支持層の国民が反対するはずです。

白井　しかし、内田さんが繰り返し指摘している加速主義の蔓延ということで考えると、「第三次世界大戦を見たい」というような願望もありそうです。

内田　加速主義者が見たいのは「資本主義の末路」であって、「世界の終わり」を見たいわけじゃないと思います。第三次世界大戦が起きたら世界が滅びてしまいますから。

第4章
「自分らしさ」と「多様性」の物語

アメリカは内部崩壊している

内田　『アメリカは内戦に向かうのか』というアメリカの政治学者が書いた本があります。著者はトランプ大統領時代に深刻化した「国民の分断」が内戦にまで至るリスクについて言及しています。「二度目の南北戦争」が起きるかも知れない。学者はふつう抑制的な文体で書くものですけれども、この部分ではかなり筆致が乱れていました。そこから著者が感じている恐怖がリアルに伝わってきました。アメリカの市民の中に内戦の切迫を感じている人たちがすでに少なからずいるということは、日本のメディアを見ている限り、わかりません。

白井　「ニューズウィーク日本版」に載っていたのですが、2022年6月にシカゴ大学政治学研究所と民主党系・共和党系の世論調査機関が共同で発表した世論調査によると、「それほど先ではないいずれかの時点で、市民が政府に対して武装蜂起する必要が出てくるかも知れない」と感じている人たちが28％もいました。共和党支持者で45％、支持政党なしで35％、民主党支持者で20％という内訳です。

内田　共和党支持者の白人男性が「武装蜂起」に対してもっとも前向きだろうと思います。最もそれを恐れているのが、非白人の女性でしょう。

2023年5月に日本で公開された『ソフト／クワイエット』というアメリカ映画があって、

コメントを頼まれて観たのですが、恐い映画でした。監督のベス・デ・アラウージョは母親が中国系アメリカ人、父親がブラジル出身という非白人女性です。郊外に住む白人至上主義者の6人が教会の一室に集まって、人種差別的な「ここだけの話」を吐いて気晴らしをしている。興に乗って、河岸《かし》を変えることになってワインを買いに立ち寄ったスーパーマーケットで中国人の姉妹と遭遇する。彼女たちが「この店で一番いいワインをちょうだい」と言ったのに腹を立て、店から追い出す。それだけでは怒りが収まらず、2人の家に忍び込んで、パスポートを盗んでいやがらせをしようということになって、家に入り込んで荒らしまくっているところに姉妹が帰ってくる。そして、はずみで2人を殺してしまう。

その話が全編ワンショット・リアルタイムで描かれます。ヒッチコックの『ロープ』と同じ手法ですけれども、これが非常に効果的でした。わずか1時間余りのうちに、仲間うちで「政治的に正しくない」人種差別的な言葉を口にして気晴らしをしていた女たちが、次には生身の人間を相手にいやがらせをして、最後は殺してしまう。この悪意の亢進がシームレスに進行する。途中に彼女たちの暴走を止めるハードルがないんです。実際には、差別的な言葉を口にすることと、いやがらせをすることと、家宅侵入・器物損壊をすることと、殺すことの間には「程度の差」がある。ある一線を超えたら刑事罰の対象になるわけですから、そこに心理的なハードルがあってよいはずなんですが、それをこの6人の女たちはやすやすと乗り越えてしまう。

彼女たちが違法行為をするとき、心理的なハードルを解除するキーワードは「大丈夫、警官は味方だから」なんです。警官は白人の側にいるから、白人が非白人に対して犯した罪は見逃されるという「物語」が彼女たちの間では強い説得力を持っている。

『ソフト／クワイエット』を撮ったのは非白人女性です。先ほど紹介した政治学者も女性です。彼女たちは、「炭鉱のカナリア」のように、今のアメリカにたちこめている「自分たちを標的にした暴力」を予感しているのかも知れません。

白井　アメリカは人種間の軋轢が深刻になると同時に経済的にも衰退しています。先に触れたように、2023年3月にシルバーゲートバンク、シリコンバレーバンク、シグネチャーバンクという3つの銀行が相次いで経営破綻しましたよね。それで食い止められると言われたけれども、5月にはファースト・リパブリックバンクが破綻した。だから本当のところはどうかわかりません。
こうした金融危機の背景にはより大局的な構造の問題があります。アメリカは米ドルが基軸通貨であるという強みを根拠に、長年にわたり借金に借金を重ねて赤字を垂れ流しています。つまり、自分たちが生産して売るよりも多く消費し続けているわけです。他国民から借りた金で他国民が作ったものを買う。じゃあ、他国は「もうこんなのイヤだ」と言って、金を貸すのをやめられるかと言えば、やめられない。消費市場としてのアメリカが大きすぎて、貸すのをやめたらこちらも潰れてしまう。米国債も買い支え続け、米ドルの価値も維持させなければならない。このようなメカニズムがグローバル・インバランスと呼ばれる構造ですね。

コロナ禍でも大盤振る舞いをして赤字を増やしました。しかし、大幅なインフレになったので金利を上げた。それで銀行の経営がきつくなっているのです。要するに、アメリカは結構へビーに内部崩壊の縁にあるわけです。

左派アカデミーの不可解な分類癖

白井　右派の白人至上主義的なものが分断をもたらしている一方で、左派のアイデンティティ・ポリティクス（ジェンダーや人種、民族、性的指向、障害などについて特定集団の利益を獲得する政治活動）もかなり不可解なことになってきています。その行き過ぎにはいろいろな問題があります。

たとえば、性的少数者の権利付与や権利主張を認めていこうというのはよいのですが、やはり性的な事柄は公共的なところに乗せることが要注意な話でしょう。しかし、ある時期からセクシュアリティに関する事柄が異常なまでに重きをなすようになってきた。そうした傾向の発信源のひとつがアカデミックな左派（文化左翼）です。

スロベニアの哲学者スラヴォイ・ジジェクがこんなことをどこかに書いていました。アメリカの大学に講演で招かれた時に食事会があって、一人ずつ自己紹介をすることになった。そうしたら「自己紹介として各自のセクシュアリティと性的フェティシズムを言いなさい」と言われ、すごく腹が立ったと。ジジェクを呼ぶくらいだから左派の集まりでしょうが、こんなのセクハラそのものではないですか。

内田　女性の社会進出を制度的に支援するアファーマティブ・アクションの登場には歴史的必然性がありました。ただ、その背景には、男性と女性という伝統的な二分法についての社会的合意があった。ところが、今は、その区分をさらに細分化して、一人一人の性的指向やセクシュアリティをできるだけ精密に記述し、分類するほうが「政治的に正しいこと」とされるようになってきた。

問題は僕たちは全員がすでに性化（sexualize）された状態でこの世に生まれてくるということです。誰もが何らかの性的な偏りのうちに幽閉されている。性を超越した視点から性の問題を論じられる人間は権利上一人もいない。だから、性を語る言説はつねにそれを語る人の性的偏りをあらかじめ刻印されていることになる。性に関する中立的言説というのは、今こうやって話している僕の言葉を含めて存在しないわけです。どれほど自制心を働かせても性を超越した視座から性について語ることはできない。だから今、白井さんが言ったように、性的な議論を公的な場に乗せることは難しい。すでにあるイデオロギーを血肉化してしまっている人間が、そこから身を振りほどくようにイデオロギー批判をしようと思ったら、かなり精密な議論の立て方をしなければならない。それと同じで、性について脱―性的な視点から語ろうと望む人は「私は正しく、お前は間違っている」という言葉づかいにはならないはずなんです。

白井　国際的な運動団体が性的指向の一覧表のようなものを作っていますよね。ああいう分類癖も不可解です。

内田　増やそうと思ったら無限に増えますから。

白井　LGBTQに関して言うと、Tのトランスジェンダー（身体的性別と自己認識の性別が異なる人）とQのクイアー（もともと「変態」などの意味が用いられた）という分類から、より不可解になってきた印象です。

特にトランスジェンダリズムの問題性は、最近の日本でも注目されるようになってきました。トランスジェンダリズムの核心には「性自認」の概念があります。この概念が大変に問題含みであって、要するに「自分の体は男あるいは女だけど、心は逆の性だ」という「自己認識」を基礎として、肉体的現実に認識を優越させることを意味します。当然のことながら、「それは単なる思い込みだろう」という批判が出てきます。

しかし、アメリカやヨーロッパ諸国では、この「性自認」を積極的に認めるべきだという方向で政策が進められてきました。その結果、激しい摩擦が起こっています。具体的には、ジェンダーレス・トイレとか、女子スポーツへのトランス女性の参入とかですね。

体の性と心の性が一致しないという現象は、かつては性同一性障害として知られてきました。それはある種の「精神疾患」であると定義されてきたのですが、しかし、分類が変わり、WHOでは性同一性障害が「精神疾患」のカテゴリーから外されました。つまり、「疾患」ではなく「性的マイノリティ」の一種であるという解釈になった。となると、必ずしも性転換手術など必要ないということになります。しかし、こうした解釈変更をめぐっては、いまも異論が絶えないようです。というのは、深刻な性別違和感を抱えている人と、単に異性装が趣味である人をどうやって区別すればよいのか、わからなくなるからです。

トランスジェンダリズム反対派は次のように主張します。性別違和の多くは、誰でも思春期に抱えがちなアイデンティティ・クライシス（自己喪失）の一環と見るのが妥当である。そこにトランスジェンダリズムの言説が降りかかってきます。結果、自分がこんなに悩んでいるのは自分の身体的性と心の性が一致していないからではないかと考える人が増えて、ジェンダークリニックなるものも増えました。そこに行ってカウンセリングを受けると「あなたが悩んでいるのは性自認が一致していないからだ」と診断される。それでどうするか。思春期ブロッカーという第二次性徴を抑える薬、それからホルモン剤を打ちます。さらには乳房や性器の切除をするわけです。

イギリスは国家的にそうした「治療」を推進していましたが、最近、政策を軌道修正しました。性器切除をしてもアイデンティティ・クライシスの悩みは必ずしも消えません。だから「とんでもないことをされた」と被害を訴える人たちが大勢出てきたわけです。

同じことはアメリカでも起きています。しかし、現政権は民主党ですから、連邦レベルでは依然として推進の立場をとっています。こうしてトランスジェンダリズムは、従来から続いてきた保守対リベラルの米国内でのイデオロギー対立が、最も先鋭化する主題になっています。

ここにはアメリカという国の病がトランプ現象などとは対極のかたちで表れているのではないでしょうか。アメリカの病の根っこにはある種の罪の意識があります。アメリカは先住民を皆殺しにして始まった国だし、歴史が非常に浅い。だから特に白人社会には抑圧者、帝国主義者だという自覚がどこかにあるわけです。それに対する「何が悪い」という開き直りが、たとえばウクライナ戦争を何が何でも続けさせるというかたちで表れるわけです。一方で、その罪深さへの内向が、極端なリベラリズム、すなわちキャンセルカルチャーやトランスジェンダリズムといったかたちで現れているように思われます。

内田　性的指向を厳密に細分化していくことはできないと思います。そもそも男性／女性という分類そのものがデジタルな境界線ではなく、アナログな連続体に過ぎないんです。「一応この辺を男性／女性の境界線にしておこう」という線を便宜的に引いているだけです。それが便宜的な境界だということがわかっている人たちが多数派なら、性的指向が多様化してもあまり問題にはならなかったはずです。でも、あらゆる性的指向は「便宜的な境界線」ではなくて、「科学的で一意的なデジタルな境界線」であるべきだということを言い出すと話がややこしくなる。もともとアナログな連続体であるものをいくつものデジタルな境界線で切り分けるわけですから、原理的にはこの作業はエンドレスにならざるを得ない。たとえば、僕と同じセクシュアリティという人はこの世に一人もいないわけです。でも、だからと言って僕が「私の性的指向は唯一無二のもので、いかなる既存のカテゴリーにも回収できない」と言い出すと収拾がつかなくなる。

銃乱射事件の深刻な背景

白井　2023年3月、テネシー州ナッシュビルのキリスト教系の私立学校で児童3人と教職員3人が殺される銃乱射事件がありました。大変不幸な事件です。現場で警察官に射殺された犯人はこの学校に在籍した経験がある28歳の白人女性で、体は女性で性自認は男性というトランスジェンダーでした。犯人死亡のため、直接の動機は明確ではありません。けれども背景には次のようなことがあります。

テネシー州は性転換を促進するような政策を取っていました。けれどもその弊害が大きいということで政策転換をした。それに対してトランスジェンダーの人たちが激怒しました。ある種の脅迫めいた文言もSNS上などで飛び交っていました。

また、州によってはアメリカの公立学校でLGBTQのイデオロギーを含む包括的性教育が強く推進されています。それを避けるために、アメリカでは私立学校に子どもを通わせる傾向が出てきているという。つまり、トランスジェンダリズムの側からすると私立学校は反動的な教育を行なっている敵、差別者だとなるわけです。

犯人は10代の頃から精神的に問題を抱えていました。それでジェンダークリニックで「あなたが辛いのは性自認がズレているからだ。あなたは体は女だけれども本当は男なんだ。男として生きるべきだ」と診断されて、医療的処置を受けたらしいのです。

こうした場合の医療的処置として女性ホルモンや男性ホルモンの投与や外科的措置による身体改変はよく知られています。その他にも、10代の子どもたちに対して行なわれる「思春期ブロッカー」という一種のホルモン剤の投与、いわゆる第二次性徴を止める医療的処置があります。

思春期は精神的にも肉体的にもいろいろと不安定になりがちです。つまり、アイデンティティ・クライシスなども生じやすい。けれどもそこにLGBTQのイデオロギーが入ってきて、思春期ブロッカーに始まり、ホルモン剤の投与や外科的処置という、いわば取り返しがつかない医療的処置が行なわれるわけです。

最近では間違った医療的処置を施されたと訴える被害者がたくさん出てきています。ホルモン剤は需要が増えれば製薬会社が儲かります。だから、アメリカがＬＧＢＴＱ運動を外国にも推奨してくることも、経団連が性的少数者のことについてだけは声高に人権擁護を唱え始めるのも、納得のゆく話なのです。

テネシー州の事件の犯人は犠牲者でもあると言えるでしょう。ジェンダークリニックで治療を受けて男として生きてきたけれども、ずうっと不安定な状態が続き、凶行に至ったように見えます。本来であれば、精神医療的な措置を受けるべきだったのに、それを受けられなかった。

テネシー州を始め、未成年者に対する性転換治療を禁ずるいわゆる保守的な州がいくつかあります。一方で、いわゆるリベラルな州はＬＧＢＴＱのイデオロギーが強く、未成年者にもそれを認めています。この対立はまさに燃え上がっています。内戦の気配というものは、こういうところからも来ているのでしょう。

「多様性」「個性」というステレオタイプ

内田　セクシュアリティというのは、ほんとうに取り扱いの難しい問題だと思います。セクシュアリティというのは、半ば社会構築的で、半ば生物学的なもので、その間にデジタルな境界線がない。性欲だって、別にそういう生理的実体があるわけじゃなくて、半ば脳内妄想です。ポルノグラフィなんて、生理学的な刺激はゼロですけれど、それに反応する性的欲望は脳内ではリアルです。

性的幻想の半ばが脳の産物である以上、わずかな情報入力の変化でセクシュアリティが揺れ動くということはあって当然だと思います。だから、思春期の子どもたちの性自認がふらふらしても何の不思議もない。周りにどんな人がいて、どんな性的幻想が支配的なコミュニティに属していて、どんな性的な物語に触れてきたのかによって、性的なアイデンティティも当然揺れる。

アメリカだとハイスクールのカーストでは「マッチョなフットボール選手」と「チアリーダーの女の子」が最上位という定型がありますね。だから、もし「カースト上位に立ちたい」という社会的上昇志向が強い子なら、当然それは性自認にも関与する。自分の本来の性的指向よりも、「カースト上位に立ちたい」という社会的欲望の方が優位になるというようなことだってある。性的アイデンティティは、そういうふうに不安定なものだし、それが自然だと思うんです。

性自認が男か女かを早く決定して、医学的な処置を行なうことにはやはり無理があると思います。セクシュアリティの差は程度の問題です。どこかで落ち着きのよい居場所があれば、無理に男性か女性かを決定しないでいいと思うんです。それなら、生物学的身体と性自認がずれている人たちのための社会的な「居場所」を用意してあげればいい。性的に自分は何者であるかという問いにうまく答えが出せない人たちに対して「まあ、そういうのもあるよ」とおおらかに対応できる社会なら、薬品投与とか外科的措置を急ぐ必要もないはずです。僕は72歳ですが、正直言って、この年になっても自分の性的指向がよくわからない（笑）。その時々の社会的役割に応じて、性的な立ち位置というのは変わるものなんです。

白井　多くの人は、適当に折り合いをつけて生きているということですよね。男は男らしく、女は女らしくというような言説は今や禁句でしょう。ただし、いくら禁句になっても現実的には、「男らしさ」「女らしさ」は存在するわけです。

内田　極論すれば、われわれ全員ある意味でトランスジェンダーなんです。だからこそ、何か確かな性的な「物語」にしがみつかないとうまく性自認することができない。僕も自分がほんとうに男なのか確信が揺らいだ時期はあります。子どもの頃、ふつうの男の子たちが熱中するものに全く興味がなかった。野球や相撲に全然興味がなかったし、鉄道やカメラや銃器やバイクのようなメカニカルなものにも全く興味がなかった。

僕は小学校低学年までは女の子とばかり遊んでいました。毎日仲良しの女の子たちと手をつないで下校して、そのあとも誰かの家に行って、女の子のする遊びをしていました。風邪ひいて学校を休んだときに、お見舞いに来たのが全員女の子だったので、父親が「樹は男の友だちはいないのか……」とびっくりしたことを覚えています。でも、その後、小学校高学年で平川克美君という典型的なガキ大将と友だちになって、それに感化されて、僕もよくいるがさつな男の子になった。それから四半世紀経って、離婚して父子家庭で子どもを育てるようになったら、また女性ジェンダー化してしまった。その時期は家にいるときはほぼ「お母さん」状態で12年間過ごしました。それが、子どもが家を出て、一人暮らしになったら、また「ふつうの中年男」に戻ってしまった。

僕の場合は女子大の先生を長くやっていましたから、周りが全員女性で男は僕一人ということがふつうでした。そういう環境では「おばさん」の方が居心地がいい。学生たちも僕を男だと思わなくなって、一度ゼミ合宿に行ったら、「先生も私たちと同じ部屋です」と言われたこともありました。さすがにそれは勘弁してくれと、ふすま一枚隔てた板の間にふとんを敷いて寝ました（笑）。

社会的役割が変わるごとに性的アイデンティティが揺れ動く。それは当たり前だと僕は思うんです。だから、あまり小さいうちから性自認や性的指向の決定を急ぐことはないと思うんです。

白井　いわゆるジェンダーは社会的性差ですよね。たとえば、女性に対して社会的に期待されがちな役割が女性のジェンダーロールで、それが固定化され過ぎているのはよくないという話です。要するに内田先生は、これまでの人生の中で、女性にしばしば割り当てられるジェンダーロールを経験してきたわけです。

内田　ふつうの男性はなかなか女性のジェンダーロールを経験することがないから、そういう性的な可塑性はわからないのかも知れない。

白井　いまの内田先生の話は非常に腑に落ちる話なんですが、つまりそれはジェンダーロールが人生のステージによっていろいろと移り変わったということなんだと思います。そもそも「ジェンダー」は、「社会的・文化的性差」を意味する用語だったはずなんですが、いつの間にか、というかこれはジュディス・バトラーの理論によってということなんでしょうが、ジェンダー＝セックス（性別）だと言われ始めたのです。このテーゼにトランスジェンダリズムは依拠しています。だから「自認された性＝その人の性」ということになり、生物学的性は事実上どうでもよいものとされる。

これは随分危うい発想ではないかと日本のリベラルや左派の中で話すと、場所によっては「おまえは差別者だ」などと即刻、袋叩きになります。さらには「お前は統一教会のシンパだな」などという正気の沙汰とは思えない非難まで出る始末。

「私が自認した性が私の性だ。他者も皆それを認めろ」という言説は欧米のリベラリズムがはまり込んだ隘路《あいろ》みたいなものです。そういう言説まで輸入してしまうのは、日本のリベラルや左派の中にある悪癖ですよね。

内田　アメリカでいう「多様性」というのは必ずしも個人の多様性を意味していないと思います。たしかに集団ごとの固有のエスニック・アイデンティティは尊重されている。でも、集団内部での個人の多様性は認められない。イタリアンはイタリアン、アイリッシュはアイリッシュ、ユダヤはユダヤ、一つ一つのエスニック・グループの違いはわかりやすいけれども、集団のエスニック・アイデンティティを保持するために、集団内の個人については、個性的であることが許されない。ドビュッシーが好きで、ビアズリーの絵が好きで、愛読書はプルーストというような子どもはアフリカ系の集団ではまず居場所がない。多様性を声高に求める割には、集団内での個性の多様性には非寛容である。これは本質的な矛盾だと思うんですけれども、これを正面から問題視する言説って、僕は触れた記憶がない。

白井　ないですね。結局、アイデンティティ・ポリティクスのようなイデオロギーが、どこで猛威を振るっているかというと大学です。だからアメリカの大学は相当まずい状況になっています。「こういう傾向はおかしなところがあるのではないか、立ち止まって考えてみよう」などと言っただけで、「おまえは差別者だ」と激しく非難されます。端的に言ってこれはスターリン主義です。それが吹き荒れているのが今のアメリカでしょう。

内田　レイシストはたしかに批判されるべきなんですけれども、レイシスト批判に加わる人の中には「この大義名分さえ掲げれば、遠慮なく人を罵倒できる、人に屈辱感を与えることができる」という理由で批判に便乗する人たちがいる。もちろん無意識にやっていることなので、本人はあくまで正義感に基づいて行動しているつもりでいる。こういう論件で過剰に攻撃的になる人は警戒した方がいい。原理的正しさを追求していくと、どんな運動でも必ず非常識なまでに暴走する人間が出てきます。これは必ず出てくる。この人たちが最終的にこの「正しい運動」の「正しさ」を傷つけてしまう。「正しいことって、そんなに正しいのか」という懐疑を産み出してしまう。だからどれほど「正しい」大義名分でも、やはりどこかで抑制的にならなければならない。「まあこの辺で勘弁したろか」と攻撃の手を緩めるタイミングがある。そこが実は「正義の実現が最大化する」ピークなんです。そのピークを過ぎると、「正し過ぎることに対する倦厭《けんえん》」が生じて、それまで我慢して批判を受け入れていた人たちが逆切れして、「正義の実現」そのものに反対し始める。それだとせっかく始めた「正義の実現」が逆に遠のくことになる。

そもそも人間て、いい加減なものなんです。いい加減な人間に厳密な尺度を当てはめることはできません。いい加減なものはいい加減に、複雑なものは複雑なまま扱ったほうがいい。エスニック・アイデンティティにしてもジェンダー・アイデンティティにしても、半ばは脳内現象なんですから、扱いを間違えると暴走する。それを抑制するためには、そういう寛容さや緩さが必要なんだと思います。生身の人間なんですから。

白井　一方で、中年男性の一部には女子高生などの格好をするといったいわゆる女装趣味を持つ人がいます。個人の自由だからそれをするのは勝手なんですが、それをいわば推奨されるべきものとして提示するという所作が問題なのです。おっさんがセーラー服を着て悦に入るのは愚行権の範囲で尊重しますが、同時にそれを見たら「おぞましい、気持ち悪い」と感じる自由も尊重されなければならないでしょう。ところが、現に日本の教育現場で、これも多様性なんだというので、学校に招いて話させるということが始まりかけています。

内田　それも多様性なんでしょうかね。中年男性が女子高生の恰好をするというのは、どちらかというと男性的な性幻想のバイアスがかかっていて、そこで演じられている女子高生って、「男の眼から見た女子高生」という定型なんじゃないかなあ。違うかも知れないけど。

白井　いや、その通りだと思います。こうした動きを見ていると、そこで言われている多様性は一種のステレオタイプですよね。多様性の少し前は個性の尊重などと言われていました。私が成人する頃から個性、個性とうるさくなってきた印象です。当時から「みんな一緒に個性的になろうってどういうこと?」と皮肉に見ていましたが、中年男性が女子高生の服を着ることがその成れの果てだとしたら、それこそ今言われている「多様性」には疑問を持たざるを得ません。

対立する「自分探し」と「修行」

内田　アイデンティティ・ポリティクスの根本にあるのは、「本当の自分らしさを発見すれば爆発的にパフォーマンスが向上する」という物語だと思います。これはたぶん欧米に固有のものだと思います。「自分探し」というのは、ある時期に日本でも学校教育の定型句の中に入ってきましたけれど、成長の物語としては日本に固有のものではありません。外来のものです。

日本固有の成長の物語は「修行」だからです。

「修行」は「自分探し」と正反対です。いかに自分を棄てるかが主題ですから。東洋的な「修行」では、師匠に就いて弟子になり、師の背中を見ながら、行を続けるのですが、これは持続的に「別人」になってゆくプロセスです。「士別れて三日ならば、即ち更に刮目《かつもく》して相待《あいま》つべし」という「呉下の阿蒙」の故事が東洋的な成長譚の基本形です。三日経って会ってみたら別人になっていたというのが成長するということであって、言い換えれば「アイデンティティなんてどうでもいいよ」ということなんです。

私の友人で、トルコの大学で日本文化を教えている山本直輝さんから「日本のマンガはイスラム世界で熱狂的な読者を持っている」ということを教わりました。彼によると、もともと何者でもない男の子が先達に就いて修行するうちに自己変異を遂げて、まったく別人になるという成長のプロセスはイスラム世界でも深い共感を得られるそうです。

その山本さんが書いた日本マンガ論の中で面白かったのは、『スター・ウォーズ』の話です。ジョージ・ルーカスの『スター・ウォーズ』の元ネタの一つはよく知られている通り、黒澤明の『姿三四郎』です。姿三四郎が矢野正五郎先生に弟子入りして、修行を重ねて一歩一歩成長してゆく物語です。でも、その話が『スター・ウォーズ』に移し替えられると、修行の過程がいきなり短縮されてしまう。ルークが師匠ヨーダに就いて修行を始めるまでは一緒なんですけれど、ルークはすぐに「だいたいフォースが使えるようになった」というところで修行を切り上げて自己都合でハン・ソロ救出に行ってしまう(笑)。一応、フォースを使う訓練もするんですけど、フォースは「ミディ=クロリアン数が超人的に多い」というかたちでルークのDNAにすでに書き込まれている。だから、「自分にはフォースを使う天賦の才能があるんだ」と自覚したら、あともう修行は要らない。実際、ルークはシリーズ第2作の『帝国の逆襲』ではもうフォースを自在に使いこなす出来上がったジェダイの騎士として登場します。

自分が本当は何者であるのか、自分の際立った生得的個性は何か、その探求が最も大切であり、「本当の自分」が何者であるのかがわかったら、その時爆発的に能力が開花して、あとは死ぬまで「本当の自分」のままでいればいい……というのはかなり特異な成長譚だと言ってよいと思うんです。とりあえず東洋的なエンドレスの「修行」とは全く違う物語です。

白井　なるほど。いま気づきましたが、『スター・ウォーズ』の世界観と90年代～2000年代に大流行した『新世紀エヴァンゲリオン』のそれは似ているのですね。『エヴァ』では、各登場人物の「シンクロ率」なるものが、モビルスーツみたいな戦闘機械を操る技量を決める最重要要素であったわけで、鍛錬を積んで技量を上げていくという話ではなかった。まさに「自分探し」ブームの後にそれは大流行したわけです。こうして見てみると、先進国共通のかたちでアイデンティティ・ポリティクスや自分探しといった現象が出てきていますね。絶望的なまでの自己へのこだわりというか。

内田　アイデンティティ・ポリティクスは「本当の自分」という物語に深く絡めとられていると思います。でも、「本当の自分」を発見すればすべての問題が解決するというのは、やはり一つのイデオロギーです。別にそれが悪いと言っているわけじゃないんです。ある土地には「本当の自分」を発見しさえすればすべてが解決するというアイデンティティの物語があり、別の土地には「継続的に別人になってゆく」ことが人間的成長であるというビルドゥングの物語がある。どちらが正しいということはないんです。結果的に、生きやすくなるなら、どっちの物語を選んでもいい。なんなら、二つの物語をその場その場で使い分けたって構わない。たまたま僕は日本人ですから「修行の物語」に親和的ですけれども、「自分探し」が間違っていると言っているわけじゃない。ただ、それも一つの物語なんだから、一般的真理のように語るべきではないと言っているだけです。

白井　私は最近、左翼は今まで何をやってきたんだろうと暗澹たる気持ちになっています。要するに、ここ30年の日本の左派は労働者階級を守ったり大衆の重荷を軽くしたりということは何にもできず、ここまで議論してきたようにアイデンティティ・ポリティクスへ走っている。それも悪いところばかりを軽率に輸入して。

たとえば、公衆トイレ問題もそうです。欧米の動きにかぶれた連中が男性用・女性用というシングルジェンダーの公衆トイレは駄目だとオールジェンダーの公衆トイレを作った。けれども「恐くて使えない」などと女性たちから言われて極めて不評なわけです。結局、勤労者を守る代わりに、公衆トイレを使えないものにした。これがこの20年、30年と左翼がやってきたことの結果かと、絶望的な感じがしているのです。

内田　白人至上主義もアイデンティティ・ポリティクスの所産とみなしてよいと思います。非白人の社会的地位が自分たちより低ければ、それは能力がないから当然だとみなし、非白人が自分たちより高い社会的地位に就くと、それはアファーマティブ・アクションで「下駄をはかせて」もらっているからだと考える。白人至上主義はそれですべてが説明できる一種の「マスターキー」なんです。だから、手に負えない。

白井　そうですね。白人至上主義は、特権が減少するなかで、左派が発明したアイデンティティ・ポリティクスの論理を導入したのです。国の主役の座から転げ落ち、貧困化が進むわれわれもまた弱者ではないか、と。この心情がトランプ現象を支えたのですよね。そして確かに、アメリカで白人貧困層に向けられるようになった視線は苛烈なもので、「ホワイト・トラッシュ」(白いゴミ)などと呼ばれていた。

　これに対する憤りのエネルギーをうまく動員したのがトランプだったわけです。こうしてホワイト・アイデンティティを復活させようとする白人男性がいる一方で、リベラルな若い白人男性は先に紹介したような罪の意識が強くなっているのではないでしょうか。

内田　そうかも知れませんね。キリスト教には「原罪」の観念があるから、白人であることが罪だという発想にも馴染みやすいのかも知れない。でも、この人たちも最初から自分のアイデンティティが何であるかわかっているつもりでいるわけですよね。「白人であること」に釘付けにされていることを苦しんでいるのだが、そこから脱出する道筋がみつからない。だったら、「自分探し」なんか止めて、師匠を探して、修行して別人になる方がいいと思うけど。

白井　賛成ですが、資本主義的に見ると、自分探しのほうがお手軽だし、顧客が人間的に成長しないほうがものを売りやすいはずです。

内田　「自分探し」キャンペーンが始まったのは、80年代あたりからだったと思うけれど、自分探しのためには、「自分らしい部屋」に住んで、「自分らしい家具」に囲まれて、「自分らしい服」を着て、「自分らしい車」に乗って、「自分らしいレストラン」で、「自分らしいメニュー」を食べる……というふうに消費行動でしか「自分らしさ」は表現できないという話でしたから、「自分探し」は資本主義的には消費行動を爆発的に拡大するたいへん結構なイデオロギーだった。修行なんて、ぜんぜん消費行動を刺激しませんからね。山に登ったり、滝に打たれたり、武道の稽古なんかしても、ＧＤＰの増大には1ミリも寄与しませんから。

白井　はい、たとえば武道の修行を積んで自分を変えようなんて思って内田先生の道場に入門したとしても、動くお金は月謝くらいで安い！

第5章

日本社会の何が〝幼稚〟か

本当の「学力」とは何か

内田　この30年の日本社会を見ていて感じるのは、国民の市民的成熟を支援する気がないということですね。大人になって欲しくない。みんな幼稚な子どものままでいてもらいたいという政策に政府もメディアも教育もすべてが加担している。これは白井さんが言ったように、市民の成熟は資本主義延命の邪魔になるからだと思います。みんな子どものままでいる方が資本主義が栄える。

特に教育の分野でそう感じます。学校教育の目的は、子どもたちの市民的な成熟を支援することに尽きるわけですけれども、「学校教育の目的は子どもたちの市民的成熟を支援することであり、それに尽くされる」と言うと、教師も保護者も、みんなびっくりする。

「学力」というのを、ほとんどの人は数学や英語のテストの点数が上がることだと思っている。子どもの頭の中に貯蔵されている知識やデータが量的に増えることが「学力が向上すること」だと思っている。そんなわけないじゃないですか。「学力」というのは「学ぶ力」のことです。「生きる力」と同じです。数値的に計測できるものではないし、他人と比べるものでもない。「学ぶ力」というのは、「自学自習」できる力のことです。乾いたスポンジが水を吸うように、触れるすべてのものから知的滋養を摂取できる能力のことです。

学校教育の仕事は「学ぶ力」を起動させることです。「学びのスイッチ」が入ったら、あとは自学自習ですから、教師にはすることがない。それまではいろいろなことをして「学びのスイッチ」が入るように仕向けなければいけない。でも、これには「こうすれば誰でも『学びのスイッチ』が入る」というオールマイティのやり方はありません。だから、いろいろ手立てを尽くす。さまざまな教科を教え、さまざまな教師を並べて、さまざまな教育方法を試すのは、要するに「下手な鉄砲も数打ちゃ当たる」からです。そのうちどれかが引っかかって、「学びのスイッチ」が入るだろうと思って、あれこれやっている。だから、単年度で学力を測ることなんかできるはずがない。スイッチの入るのが遅かった人がその後猛烈な勢いで学ぶこともあります。子どもたちの学びがどういう成果をもたらしたのかを知るためには、20年、30年という長い時間をかけなければならない。学校教育の成否は、それから数十年経った後に、日本社会にまっとうな大人の頭数が十分に揃っていて、おかげで国運が衰えていないという事実によってしか検証できません。でも、そういうタイプの教育観って、今の日本にはないですよね。

白井　同感です。本当に、生徒・学生の能動性が起ち上がったらこちらはほとんど何もすることはない。せいぜい「こんな本があるよ」って教えてあげるくらいですね。

いま文科省が一生懸命推進しているのが「アクティブ・ラーニング」。一方向的に教師が教えるのではなく、生徒・学生が能動的に、相互にまた教師と双方向的にやり取りして学ぶ、という触れ込みです。文科省がこういうことを言い出す気持ちはわかる。まさに「アクティブ」さ、子どもたちの能動性がはっきりと低下してきているからです。しかし、こんなことをやっても問題が解決されないことは明らかなのです。これは自分の経験からわかりますが、90分間、それなりに込み入った話を集中して聞いて理解しようとすると、大変に疲れます。つまり、それこそ「アクティブ」でなければ、いわゆる講義形式の授業をしっかり聞くことはできないですよね。要するに、一方通行的講義というのは、それが成り立つならば、「アクティブ・ラーニング」だったのですよ。文科省がいま推している「アクティブ・ラーニング」は、能動性が発揮されているかのような状況を外形的につくって、それを「アクティブ」だと見なしているにすぎません。問題は、能動性の根源が失われたのはなぜなのか、ということであって、それに取り組まずに「アクティブ」とか何とか言ったところで、逃避しているだけですね。

私の場合、学校の先生が何を言っていたか具体的にはほとんど覚えていません。けれども、何かの拍子に先生の言ったことだったり先生の佇まいだったりが印象を与え、生き方に影響を及ぼしてきたわけです、いまにして思えば。だからそれこそ、いろんな佇まいを子どもや若い人たちの前に、サンプルとして提示すべきですね。どんな大人になりたいのか、なるべきなのか、教師たちのまとう雰囲気というかオーラは、若い人たちにそうした問いを突きつけると思うのです。

いまの話は教師と生徒・学生との間の人間関係の話ですが、生徒・学生同士の間での人間関係も、「学ぶこと」から離れていっているように感じられます。大学時代に学んだ重要なことのひとつは、「何と言っても人間関係が大事である」ということです。どうやって効率よく単位を取るか、そのためには人間関係がきわめて重要だった。

私がいたサークルでは過去問の模範解答の集積がありました。何十年間もコピーを重ねて代々伝わってきたものなので、判読困難なのですが。それから大事なのは、「ノート見せてよ」と頼めるクラスメートがいること。頼めるためには、友好な人間関係を保っておかなければならない。

ノートを写させてもらうなら、もちろんギブ・アンド・テイクでなければいけない。別の授業のノートを見せるとか、模範解答を渡すとか、どっちも持っていなければ飯をおごるとか。よく覚えているのですが、大学生の時、試験期間中、学部の掲示板の前にずっと立っていて、通りかかる学生たちに手当たりしだい「すいません、○○の授業を取っていませんか」と声をかけていた男の子がいました。もちろん誰も相手にしてくれない。彼は卒業できたのだろうか、といまでも思います。

内田　僕は学生時代、試験の「山をかける」名人として知られていて、同じクラスはもちろん、他のクラスの子たちからもよく訊かれました。知らない学生から電話がかかってきたこともあります。天賦の才能ですから、もちろんじゃんじゃん教えてあげました（笑）。

友だちが大学院を受ける時に、「卒論の出来はよくて、英語も得意だけど、第二外国語のフランス語は教養の時にやったきりで全部忘れてしまった。フランス語の試験さえ通れば合格する。内田教えて」と泣きつかれて、3日間うちに泊まり込んで、朝から晩まで、炬燵《こたつ》に入ってラーメンすすりながら、初級から始めて、中級文法まで終わらせたこともありました。結局、彼は院試には落ちちゃったんですけど、そういう相互扶助のネットワークを形成するのも、大学時代のうちですよね。

白井　十数年前から大学生はそうしたことをやらなくなってきた印象です。私が大学の非常勤講師で教え始めた時のことですが、「社会思想史」の授業の期末試験で若干難しい問題を出しました。ただし、問題そのものは事前に発表していました。この問題を論述で解答してもらいますよと。ところが答案を見たら悲惨な論述が山ほどあった。そこで怒ったわけです。「何でお前たちはきちんと対策をしないんだ。何も自分独りで考えて対策する必要はない。友だちと一緒に模範解答を作って回したっていい。こっちは同じ回答だなと思っても授業で言ったことを正しく反映していたら丸にせざるを得ないんだから。何でお前たちは協働して試験を乗り切ろうとしないんだ」と。

今の学生たちはこういう傾向がますますもってひどくなっています。みんな個人で抱え込んでしまうわけです。

内田　そうですね。どうして相互扶助のネットワークを作らないんだろう。試験を協働で乗り切るというようなごく実利的なことでも、友だちと一緒にやると、結構楽しいんです。遊んでいるようなものです。友だちを作って、一緒に勉強することができる能力だって「学ぶ力」のひとつだと思いますよ。

大学にはびこる「孤立のテクノロジー」

白井　なぜ学生は協働できなくなったのか。テクノロジーの発達も非常に悪影響を及ぼしているのではないでしょうか。レポートを書く際に、今の学生は当然インターネットを使います。適当にキーワードをぽんぽんと打ち込めば、それらしい文章を載せたウェブサイトが出てくる。それを適当にコピー・アンド・ペーストしてレポートは一丁上がりにできる。昔は、仲間たちである種手作りの協働作業をして試験を乗り切っていました。一人きりで完結するネットのコピペとは似ているようでいて全く違って、重要な学びがあったはずです。

また、昔は先生が授業中にレジュメ的なものを手渡しで配っていることが多かった。欠席をすると誰かにコピーさせてもらうしかなかったのです。今、授業の資料は基本的には大学のポータルサイトにご丁寧にアップされています。それが大学が当然提供すべきサービスだということになっています。こういう次元でも学生たちは協働する必要がありません。
これは「孤立のテクノロジー」とでも呼ぶべきものです。極端に言えば、今の大学は一人も友人がいなくても卒業できるシステムになっているわけです。コロナ禍によって学生の孤立がクローズアップされて社会問題化しましたが、コロナ禍以前から、協働を断ち切り孤立を促進することを一生懸命やり続けてきていたわけです。

内田 そういうシステムは間違っていますよ。

白井 たまに学生が「先週の授業で配られた資料をください」と頼んできます。私は教員に話しかけるのが億劫だったのでそんなことは一切しなかったから不思議でしょうがない。「まずは友だちにもらえよ」と思いますが、声をかける相手がいないから教員のところにくるのでしょうか。

内田 「徒党を組んで無理を通す」というのって、非力な人間にとっては、すごく重要な社会的能力だと思うんです。明治初期のものを読むと、若者たちは何かにつけてすぐ徒党を組んでいます。新渡戸稲造の『武士道』にもそんな話が出てきます。新渡戸は一高の校長を務めた人ですけれども、その頃の高校は「国家須用《しゅよう》の人材」を育成するエリート教育機関ですから、生徒たちもやたら鼻っ柱が強い。何か不満があると、すぐに徒党を組んで校長室に怒鳴り込んでくる。これをどうコントロールするか、それが明治の教育者にとっては腕の見せ所だった。徒党の領袖になって校長に直談判に来るような奴はなかなか見どころがあるわけです。先行ききっとひとかどの人物になるであろうから、騒ぎを大きくして退学処分にするのは惜しい。新渡戸が苦労して、最後に見つけたのが、「君らはそれでも武士か！」という一喝だった。これでたいていの騒ぎは収まったそうです。

学生たちが学校のシステムを批判したり、教師を問い詰めたりというのは、明治時代は官学、私学を問わず日常茶飯事だった。60年代末の全国学園闘争が、その最後のものでしたけれど、機動隊導入、学生処分で終わった。教育者の側にも学生の側にも明治時代の気風はもう残っていなかったということなんでしょうね。

白井　そう見ると、全共闘は新しい運動だったというよりも明治以来の学生の強訴の伝統の最後の輝きだった、という仮説も成り立ち得ますね。大学管理者にとっては、全共闘がトラウマとなって、ああした事態だけは絶対に二度と御免だという発想から管理を強化してきました。全共闘運動による混乱の甚だしさや、連合赤軍事件の悲惨さがそうした傾向に免罪符を与えたとも言えるでしょう。おかげでキャンパスは平静を取り戻すことができた。しかし、空間として死にました。

「合宿」のすすめ

白井　私の友人に革命家を名乗る外山恒一《とやまこういち》さんがいます。彼は1970年生まれ。福岡県を拠点に政治活動や文筆活動などをしていて、『改訂版　全共闘以後』（イースト・プレス、2018年）という1960年代後半から今日までの若者による社会運動について非常に詳しく書いた600ページを超える大著も出しています。これは類書のないすごい本です。高校生の時に管理教育と大激突して4つの高校を渡り歩き、結局、中退して、政治運動をやりつつ、傷害罪で投獄された経験もあります。長年ストリートミュージシャンとして生計を立てています。

そんな外山さんを一躍有名にしたのは2007年の東京都知事選でした。彼は獄中で極左からファシストに転向したと宣言した後、東京都知事選に無所属で立候補します。その政見放送が無茶苦茶にバズりました。外山さんは政見放送で「選挙は無意味だ。多数決で一番得票が多いやつが勝つんだから多数派が勝つに決まっている。我々はどうせ永遠の少数派なんだから勝てるわけがない。だからこんなものは茶番で全く無意味だ」という演説をしました。それで一種のカルトヒーローになったわけです。

外山さんは今、福岡の自宅一軒家で「教養強化合宿」というものを開催しています。参加者たちは外山さんが指定した基礎文献を9泊10日、みんなで延々と読み続け、随所で外山さんが解説をするという勉強会です。京大や早稲田、東大など全国から学生たちが集まってきている。合宿期間中は寝食タダ。自力でここに来い、あとは俺が全部面倒を見るというかたちでやっています。

出身者たちが最近ではだんだん活躍し始めていて、哲学書を出したりだとか、文芸評論の新人賞を取ったりだとか、目に見える成果が出てきているようです。もっとも外山さんは、「革命家の養成のためにやっているのにどうもインテリ系になってしまう者が多い」とややボヤき気味でしたが。

とにもかくにも、外山さんのこの教育的実践には本当に頭が下がります。本来大学教育が与えなければならない人文的素養を、外山さんが与えることになっている。

内田 それは伝統的な日本の修行のスタイルそのものですね。僕は大正時代から続く「一九会《いちくかい》道場」という禊祓《みそぎはら》いの会の会員なんですけれど、一九会の初学修行に行くと、ご飯も寝床も全部用意されていて、何もしなくていいんです。とにかく三日三晩ひたすら祝詞を唱え続ける。かなりの荒行なんです。こういう伝統的な修行法は絶えかけつつあるんですけれども、外山さんはそれを自覚しているかどうかは別にして、結果的にその水脈を繋いでいるようですね。福岡を拠点にしているということは、頭山満、内田良平、来島恒喜《くるしまつねき》などの玄洋社の流れなのかも知れない。明治の初めに頭山たちが建てた向陽社、矯志社の活動と通じるものを感じますね。

若者を集め、農耕をしながら共同生活をする学舎で「志士」を育てた。

白井　外山さんに呼ばれて、京都で開催された合宿出身者のOB・OGの飲み会に参加したことがあります。京大や立命館、同志社、大阪大学などの学生たちが来ていて、最年少が京都の難関校として有名な私立洛南中学の3年生の女の子という集まりでした。

その女の子は親に止められて福岡には行けなかったけれども、京都の集まりには参加できたとのことでした。「洛南はどんな雰囲気なの?」と聞いたら「女子は元気がよくて、男子はしょぼくれています」という答えでした。男子に元気がないのは「灘中を落ちた連中だから」と(笑)。

内田　今はどこでもそうですよね。男性よりも女性のほうが元気がいいですね。このところ大学の合気道部でも女性の主将が続出しています。昔は武道系のクラブで女性が主将になるなんて考えられませんでしたけれど今はもうふつうです。

器の大きい〝ロールモデル〟なき時代

白井　今の若い男の子は生き方が難しいのではないでしょうか。

内田　難しいと思う。男の子たちのロールモデルが、システムの穴をみつけて自己利益を増大させる「小狡く立ち回るやつ」たちですからね。そんなものを目標にしても、人間のスケールが縮むだけです。

白井　現代最高の日本男児と言えば大谷翔平！　ですが、「大谷のようには無理です」、以上（笑）、になってしまう。ただ私が若い頃、ロールモデルがあったかというとなかったわけです。はしごなどなくて自力で壁を登って、危うく落ちそうになりながらも今、何とか落ちないところにたどり着いたらしいという感じです。

内田　白井さんくらいになったら、下に縄ばしごを投げて「大丈夫だよ、ここまで来れるよ」とやってほしいですね。

白井　いやー、なかなかそれは難しいですね。私自身がロールモデルには到底なり得ないと感じるのです。内田先生の場合、誰をロールモデルにしたという感覚がありますか？

内田　僕の場合は、2つ年上に、橋本治、加藤典洋、大瀧詠一という「兄貴」世代にロールモデルがいました。彼らが果敢に地雷原に踏み込んでいって、「ここまではやっても大丈夫」という活動領域を拡大してくれた。僕たち後続世代はその恩恵を多大にこうむっている。先人が後に続く若者たちのために未開の荒野に踏み入って、難所にはしごをかけたり、「こっちに行ってもろくなことはないぞ」という道標を立ててくれたりした。今の若い男の子には、そんなふうに親切な先輩たちが道を整えてくれているという感覚があまりないんじゃないかな。

白井　内田先生と言えば、やはり専門領域だけでなく、広い領域で平明かつ面白い文章を書けるということで多くの読者を得てきたと思うのですが、一般読者向けの本の書き方を誰かに教わったのですか。

内田　一番影響を受けたのは橋本治さんだと思います。文体的な影響というよりは、読者に対する「親切心」ですね。橋本さんは基本的に中高生まで言葉が届くように書いていた。僕も中高生が読んでもわかるように書いています。

白井　橋本さんから直接、「内田くん、こんなふうに書けばいいんだよ」と教わったわけではないですよね？

内田　ちくまプリマー新書という中高生向けの新書シリーズが創刊される時に、橋本さんが1冊目で、僕がシリーズ2冊目だったんです。せっかくだからシリーズの文体を揃えた方がいいと勝手に思って、担当編集者に頼んで、橋本さんの『ちゃんと話すための敬語の本』の手書き原稿のハードコピーをもらって、それをかたわらに置いて「臨書」するような気持ちで『先生はえらい』を書きました。その時に文体上の影響を受けたというのではないんです。書いていて自分の文体がいかにそれまでに橋本さんの影響を受けていたのか思い知った。

白井　なるほど。要するにロールモデルと言っても、いわば勝手に盗む、模倣するところから始まるわけですよね。私もそうだったのだと思います。だから生き方についても「どうしたらいいのか、具体的に教えてください」などと聞きに来るような若者がいたとしたら、いかがなものかと思ってしまうのです。

それにしても一般的な次元でもロールモデルがない。今さら昭和の男らしさに回帰するわけにもいかない。今の若い男の子に「男らしく生きろ」と言ってもなかなか伝わらないでしょう。

内田 ロールモデルになるのは器の大きい人、寛大で、包容力がある人ですよね。今の若い男の子たちはそういう「男らしさ」みたいなものは見たことがないんじゃないかな。

キャラ設定は呪縛になる

白井 元気がない男たちの一方で、インセル（不本意の禁欲主義者、非自発的独身者）化して大暴れする男たちもいます。

内田 8割が女の子、2割が男の子というある大学の教員から「パートナーが見つかる男の子は、母性愛を刺激するタイプ」だと聞いたことがあります。しっかりした女の子が、自分がいないと何もできない弱々しい男子を庇護下に置くというパターンです。たしかに、大学の合気道部で、主将が女子で、副将が男子というパターンを見ていると、男の子たちはみんな当たりがソフトなんですよね。主将の女子が「さあ、稽古始めるよ」と声をかけると、男子部員たちがそろって明るく素直に「はい」と返事をする。人間できてるなと思います（笑）。

白井 モテないのをこじらせて狂暴なインセルになるよりも、はるかによいですね。「男は度胸、女は愛嬌」と昔は言われたものですが、実は「男も愛嬌」が真実なのではないでしょうか。どこか愛嬌のある男の方がモテる。

内田　生存戦略上、やはりモテるというのは大事です。「利己的遺伝子」だって、自己複製を残したいですから、どういうキャラ設定にしたらパートナーがみつかるか、工夫していると思いますよ。

今うっかり「キャラ設定」と言ってしまいましたが、これは実はあまりよい言葉ではないと思うんです。さっき話題に出たアイデンティティ・ポリティクスとも通じる話かも知れませんけれど、今はかなり早い段階から、子どもたちが「自分の個性はこれこれです」とか「自分のオリジナリティはこうです」ということを自己決定しろという圧力がかかっています。早めのキャラ設定を求められる。

もちろん集団の中で生きるためには、早めにキャラ設定をした方が自分の居場所がみつけやすいのは事実です。でも、いったん自分をあるキャラクターに固定化してしまうと、それが「呪い」になることもある。その集団にいる限り、そうやって設定した「自分らしさ」から逃れることができなくなる。思春期というのは、すごい勢いで人間が変わる時期なんです。3日経ったら「刮目して相待つべし」であるべきなのに、キャラが決まっていると、そういう変化が許されない。

凱風館の近くは灘中・高があるので、駅で灘の生徒たちがおしゃべりしているのに時々行き合います。話の内容まではわかりませんが、とにかくそのやり取り、話のパス回しがものすごく速い。こういうふうにパスを送ったら、こう返してくるということをお互いに熟知した上で、超高速でパス回しをしている。これはプレイヤー全員のキャラ設定が確定していないとできない「技」なんです。3日経ったら別人になるような急激な成長期にある10代の少年たちの間のコミュニケーションだったら、気まずい沈黙が続いたり、口ごもったり、話がかぶったり、前言撤回したりということがあるはずなんです。でも、そういうコミュニケーションの停滞は社交上許されない。

「高校デビュー」というのがありますね。僕は中学校では典型的な「優等生キャラ」でしたけれど、それがつまらなくて、高校に入ったところで、中学生の頃の僕を知っている友人がいないのをいいことに、「ボンクラ不良高校生」というものにキャラ設定を変更することにしました。「オレは中学の頃からワルで」とかでたらめを並べてた。この「高校デビュー」がもたらした解放感はまことに愉快なものでした。ただ、そのキャラ設定が過激すぎたせいで、その後高校を中退しなければいけなくなったんですけど（笑）。

中高一貫校の場合、うっかりすると6年間キャラ設定を変更できない。これはつらいと思うんです。前に学生新聞の取材で学生2人が取材にきたことがあって、その時に話題が中等教育の問題点に及んだ時に「中高一貫校がよくない」と言ったことがあります。中高一貫だと12歳でキャラ設定されて、場合によるとそれが18歳まで続くリスクがあるから。思春期には読む本も聴く音楽も観る映画も変わるし、セクシュアリティだって変化する。初期設定とはどんどんずれてくるのだけれども、周りは6年間同一キャラであることを要求する。それから外れた言動は「らしくない」として禁圧される。思春期に初期設定されたキャラから出られないというのは人間的成長にとって有害だと思うという意見を述べたんです。

話を聴いているうちに、一人の学生が涙ぐんでしまった。自分がそうだったというのです。彼は自分に強いられたキャラが耐えられなくなって、高校2年の時にアメリカに1年間留学して、同級生が卒業した後に戻ってきてから卒業したそうです。

「メタメッセージ」が失われている

白井　私はまさに中高一貫の男子校でしたが、キャラ設定の息苦しさはあまりなかった気がします。そのあたりはやはり時代の違いがあるような気がします。私が10代を過ごした時代は、「キャラ」というようなものはあまり問題にならなかった。

6年間男子校にいると非常に言葉づかいが悪くなりますね。一言目には「おまえ100回ぐらい死ね」などと言い出す（笑）。挨拶のようにひどいことを言い合う文化があって……。

内田 今も残っていますよ。悪口がきついです、白井さんは（笑）。

白井 Ｔｗｉｔｔｅｒ上で、ある差別主義者の政治家のことを「腐れ外道」と書いたら、それを見たうちの女房が「あんたは本当に口が悪い。そんな言葉、誰も使わないよ」と。そんなことはない、「腐れ外道」は由緒正しい日本語であるはずだと思って、インターネットで検索してみたら、出てきたのはヤクザ映画の傑作『仁義なき戦い』の台詞でした（笑）。女房の言うとおり、どうも市民社会の言葉ではなかったようです。

内田 堅気の勤め人の語彙ではないです（笑）。

白井 ただ、これも私の中では現代に対する違和感とつながっています。小学校では最近、友だちをあだ名で呼ぶのはやめましょう、乱暴だから呼び捨てもいけません、必ず○○さんとつけなさいなどと教えているところがあるらしい。教えているというか、強制しているのでしょう。こうしたことが私には偽の優しさに感じられて、かゆくなるのです。そうやって子どもたちに優しくしましょうと言っていながら、世の中の人間関係は冷え切っていくばかりです。この矛盾、偽善、欺瞞はいったい何なのでしょうか。

内田 実際に世の中はどんどん冷たくなっているのに、そういうところだけいじっても仕方がないと思いますけど。

白井 「１００回死ね」などと言っても本当に死ねと思っているわけではないし、そもそも１

00回死ぬなんて不可能なのであって、挨拶みたいなものです。そういうことがわからなくなっているとしたら、メッセージとメタメッセージの二重性みたいなものがなくなってきていることになります。ある種の人間関係においては、乱暴な言葉を使うことが実は親密さを表現する、伝えることだったりするわけです。「100回死ね」のメタメッセージは「おまえは友だちだ」ということです。本来コミュニケーションはそういうもののはずですが、今はコミュニケーションのメタレベルが失われてきているのではないでしょうか。危機的なものを感じます。

内田 コミュニケーションはメッセージとそのメッセージの解釈にかかわるメタメッセージの二つの層から成っています。メッセージには事実誤認や虚偽が含まれているのですけれども、メッセージの読解規則にかかわるメタメッセージは一意的でなければならないという暗黙のルールがあります。「オレの話は話半分に聞いてくれよ」というのはメッセージの解読にかかわるメタメッセージですから、そのまま信じていい。「話半分の話半分だから、真実含有量は25%なのだろうか」というような気の使い方をしなくてもよい。ですから、「誤解の余地のない、一意的なメタレベル」を、「それなりに嘘や誇張や誤りを含んでいるレベル」の中にさしはさむことで、僕たちは健全なコミュニケーションを行なっている。

でも、この二つのレベルの使い分けって、母語でしかできないんですよね。だから僕は英語やフランス語で話すのがものすごく苦手なんです。言いたいことの2割くらいしか表現できない。それは日本語で話す時は、適当なことを言いながら、メタレベルで、僕が話していることの解釈方法をこまめに指示できるからですよね。「これはジョークです」とか「これは皮肉です」とか「これは話を盛っています」と相手に伝えることができる。でも、僕程度の外国語運用能力ではこれができないんです。それこそ「トイレはどこですか」とか「メニューを見せてください」というような一意的なことしか言えない。あるレベルではふつうのステートメントなのだけれども、メタレベルでは違うことを言っているという技が使えない。英語やフランス語で話していると自分がバカになったみたいな気になる。

白井　非常によくわかります。母国語以外を話す時はもどかしくてしょうがない。

内田　だからやっぱり書くのも話すのも日本語が一番いい。額面通りに読めば額面通りに読める。深読みすると別の意味層で読める。さらに深読みするともっと深い意味層で読める。そういう書き方が母語ならできる。でも、そういう母語の使い手になるように国語教育をするということを今の日本はしていませんね。メッセージレベルとメタメッセージレベルの往還を手際よく行なうというのはきわめてたいせつな言語運用能力なんだと思うんですけれど、そういうことを聞いた覚えがない。

白井　最近驚いたことがありました。ある大学の授業で、自分は早稲田の出身者であることを強調してから「慶應義塾大学は地上で最低の大学である」ということを言ったんです。そうしたら、コメントシートに「本当に慶應は最低の大学なんですか?」という質問が! 冗談だとわからないらしいのです。

内田 よく政治家が失言をした後に「発言の一部を切り取られた」「真意はそこにはない」「誤解を招いたとすれば遺憾《いかん》である」というような言い訳をしますけれども、「失言」というのはまさに「誤解の余地なき剥き出しのメタメッセージ」の部分を聴き取られたということなわけですよね。その失敗を糊塗するために「いくらでも解釈の余地のあるメッセージレベル」に問題を移すことで話をごちゃごちゃにして責任を逃れるということが常套化している。これは日本語のためにほんとうによくないことだと思います。

あと、議論する時によく「キーワードの定義を決めてから話を始めよう。それぞれがキーワードについて違う定義を持っていたら議論しても無駄だから」という人が結構いますけれど、それは違うと思う。キーワードの一意的な定義が成立しない概念だからこそ議論になるわけですよね。「民主主義」にしても「西洋文明」にしても、一意的な定義なんか共有されていない。でも、そういう言葉を使って議論をしなければいけない。質の高い議論がなされれば、そのうちに、そのキーワードについて「さまざまな解釈がある」ということがわかり、「そういう解釈をする理由もわからないではない」ということになる。それでいいと思うんです。「まずキーワードの一意的定義を下してから議論を始めよう」というのは「まず結論を出してから議論を始めよう」と言っているのと変わらないです。

白井　それよくわかります。論文や本でも、キーワードの定義がやたらに厳密なものってつまらないですし。ですが、日本人は討議ができなくなって、そういうつまらない話しかできなくなっていると……。

内田　ネット上では「あなたはその言葉をどういう意味で使っているんですか」というタイプの絡み方が多いですよね。これはきわめて狡猾《こうかつ》な問いの立て方で、いきなり「回答者」と「採点者」という非対称的な権力関係を持ち込んで来る。それだと相手がどう答えても「違う」と応じることができます。一見すると、知的な態度を偽装していますけれども、目的は対話でも議論でもなく、査定なんです。自分が「査定する立場」を先取するために形式的に質問している。こういう「小技」に長けている人がほんとうに増えてきましたね。だから、僕はネットでの匿名の問いかけには一切返事をしないです。

ほんとうに生産的な議論がしたかったら、「あなたがその言葉をどういう意味で使っているのか、もう少し詳しくお話しいただけませんか」と促して、しばらく黙って聴く。相手の言い分の当否については暫定的に判断を保留する。それが対話における基本的なマナーだと思うんです。自分には自分の意見があるが、それは「いったん括弧《かっこ》に入れて」おく。それができない人ばかり増えてきた。

白井　高校生の時に出席した予備校の授業で現代文の講師が、重要なことを教えてくれたのです。「皆さんのなかには現代文の成績が常に高い人と、時に高く時に低い不安定な人がいるでしょう。ここに来ているのは安定しない人が多いはずだ。そういう人は、課題文に書いてあることに共感できるときには課題文の書き手の考えが手に取るようにわかるので正解できる。しかし、共感できないときには、間違えまくる。君たちが理解しなければならないのは、現代文のテストで問われているものは、君が課題文を読んで何を思うかということとは一切関係ないということだ。問われているのは、君が何を思うかではなく、そこに何が書かれているのか、筆者が何を書いたかを君たちが理解できたかどうかということだ」

この言葉には目を開かされました。後々わかってきたのは、これは単に現代文のテストで点が取れるかどうかということよりもはるかに重大なことに関わっているということです。つまりは、他者の考えを正確に受け止めることができるのか、その姿勢があるのか、ということなのですよね。

論破の先に知的成熟はない

白井　日本を立て直すには、言葉の使い方からやっていかないといけないわけですね。

内田　政治的なことを語る言葉がこれだけ貧しく薄っぺらになってしまうと、そこにどんな

「正しい」メッセージを乗せても、現実は変わらないと思います。

白井　その場の口喧嘩で勝ったからといって、どういうことはないという話なのですが。

内田　たとえば、ひろゆきという人は歴史的文脈に要請されて必然的に登場してきた人だと思います。歴史的必然があって登場してきたということは、彼がいなくても別の人が「論破王」みたいな役割を引き受けていたということです。実際に、60〜70年代の学生運動の時代には、どんな政治的事案でも、片っ端から「論破」する人たちがどの党派にもダースで勘定できるくらい揃っていました。

白井　それも、それぞれの党派のドグマ（教義）に従って論破していく……。

内田　虚しいのは、論争相手の「最低の鞍部《あんぶ》」を乗り越えることを「論破」と称していたことです。まことに不毛なことをしているなと思いました。確かにそういうことができるのは頭のいい子たちでした。でも、他党派の相手に対して「どうしてこの人はこのような政治的意見を持つに至ったのか？」という想像力を発揮することができなかった。

僕は各党派に友人がいましたから、彼らの話を聴いて、「どの党派もおっしゃっていることはごもっとも」としか言いようがなかった。どこかの党派が正義を独占していて、後は全部「反革命」であるというようなことはあり得ない。だって、大学新入生が党派に入るのって、「高校の先輩に誘われて」とか「喫茶店でオルグされて」とか、ほんとうにそんな理由からなんです。高校のクラブ活動に入るのと別に変わらない。でも、高校のクラブ活動では、サッカー部と野球部が「不倶戴天《ふぐたいてん》の敵」同士で、相手の存在を全否定して殺し合うとかしないでしょ？

だから、党派間の論争を聴いて、「うまいことやり込めるな」ということには感心しましたけれど、そこから何か「よきもの」が生まれるというふうには思えなかった。それよりは、相手の話を聴いて、その中に潜んでいるかも知れない「自分がまだ知らないこと、自分の視野を広げ、自分の偏見を解除してくれるような知見」を求める方がずっと建設的じゃないかと思っていました。

学生運動家の中には「無敵の論破王」みたいな人がたくさんいましたけれど、彼らの中で、その後なんらかの知的な達成をした人はほとんどいないんじゃないかな。それよりは、そういう場面で口ごもってしまい、顔をほてらせてもごもご言っているうちに「お前、破産してるんだよ」と宣告されて、べそをかきながらとぼとぼ立ち去った人たちの方が、それから後ずっとレベルの高い仕事をしているような気がします。でも、前から言っているけれども、白井さんが60年代に学生だったら絶対にどこかの党派の領袖になっていますよ。アジテーションうまいもの（笑）。

白井　お言葉ですが、全くうれしくありません（笑）。とはいえ、講義をやる際には、やはりどのくらい自分の話にエンタメ性があるかというのは、ついいつも気になってしまいます。私にとって、大学の講義の手本は、早稲田で非常勤として教えていた、ケインズ研究の第一人者、伊東光晴先生でした。伊東先生の授業は、だいたい80％が漫談でした。円熟した漫談の口調で、当世の経済学者やエコノミストをなで斬りにしてゆく。何度も爆笑したものです。

ああいう空気を取り戻したいですね。ここまで議論してきて、日本を立て直すにはまともな学校を作るしかないという気がしてきました。

「他者の視線」を過剰に気にする子どもたち

内田　今の学校教育のシステムでは、スケールの大きい人間が育てられないことが問題です。小学生までは結構のびのびと育っているんですけれども、中等教育の6年間でそれが痛めつけられる。

白井　金沢大学の融合研究域融合科学系教授の金間大介さんが書いた『先生、どうか皆の前でほめないで下さい――いい子症候群の若者たち』（東洋経済新報社、２０２２年）という本が話題になりました。今の若者に対して、まじめで素直、打たれ弱く、繊細で、何を考えているかわからないといったイメージがあるだろう。そのとおりだが、それはほめられたいけれども、みんなの前でほめてほしくない。とにかく目立ちたくないという「いい子症候群」なんだと金間さんは言っています。

私は教育者、そして子育てをしている親としても読みました。この本で観察されている学生たちの状況は自分が勤め先の大学などで目にしているものと同じで、すごく納得しました。親として注目したのは、そういうメンタリティーに子どもはいつからなるのかという点です。それは小学校の3、4年生ぐらいだと。この話には心して子どもを育てなければいけないと考えさせられました。

幼稚園などに行くと、どの子もひたすら元気で素晴らしいですよね。本当にいいなと思います。けれどもこれが十数年たって、大学に来ると全く元気のない子になっているわけです。子どもたちがいつからそうなるのか、ずうっと疑問でした。金間さんによると、そのターニングポイントは小学校の中学年なのです。

具体的にどんな変化が表れるのか。たとえば、小学校の先生が授業で何か質問をする、「わかる人は手を挙げて」と。1年生、2年生だと「はい、はい」とみんな元気に手を挙げます。それが5年生くらいになるとぱったりとやみます。要するに、他者の視線を過剰に意識し始めるのが3年生、4年生の頃というわけです。それ以降、子どもたちはどんどん元気がなくなっていく。そんなふうにこの本には書いていています。

内田　他者の視線を気にするのは成熟の過程では当然起きることですけどね。

白井　簡単に言えば、その意識の仕方が子どもの中ですごく過剰になっているということでしょうし、他者の視線が自分にぶつかって来ることを通じて主体形成するということができなくなってきているのだと思います。

内田　今の日本の学校教育では、査定や評価にリソースを費やし過ぎていると思います。僕の記憶する限り、90年代のバブル崩壊までは、評価とか査定とか格付けとかいうことが学校教育の中で話題になることはほとんどなかったです。バブル以前の日本企業は、ふつうは年功序列、終身雇用制でした。つまり人事考課しない。何年かある職位にいたら、みんな揃って係長になり、課長になる。部長以上になれる社員は選別されたけれど、課長まではほぼ全員がなれた。だから、職位ではなく、仕事の内容で能力の差をつけた。同じ課長だけれど、どれくらい重要な仕事を任されているか、部下が何人いるかが違う。でも、給料は一緒。90年代まではだいたいどこの組織もそうでした。人事考課に手間暇をかけるということをしなかった。

これが高度成長期の人事でした。この時期はどの組織でも、身の程知らずに、分際をわきまえずに新しい事業に取り組む社員が企業を牽引していった。こういう人たちは別に出世がしたくて、給料を上げたくて仕事をしていたわけじゃなくて、仕事が面白くて仕方がないから仕事をしていた。だから、組織も査定とか評価ということは二の次で、「とにかく面白いことをしたい」という社員にフリーハンドを与え、予算枠を与えて、好きな仕事をさせた。

ところが、90年代バブルがはじけてからこの自由な雰囲気が失われた。能力主義、成果主義、評価活動ということが言われ出した。勘違いしている人が多いんですけれど、「能力主義・成果主義」ということがうるさく言われるようになったのは、経済成長が止まってからなんです。能力の発揮のしようがなく、成果の上げようがなくなってから、そういう言葉がうるさく口にされるようになった。それ以前の「いけいけ」の時代はみんな好き勝手にやっていたんです。誰も能力や成果を査定なんかしなかった。だって、評価や査定なんかいくらやってもイノベーションは起きないし、売り上げが増えることもないんですから。

でも、経済成長が止まってパイが縮み出したら「パイの取り分」について厳密な基準が必要だと言い出すやつが出てきた。大学でも「評価」という言葉が言われるようになったのはバブル崩壊後です。パイが縮んで来たので、隣の人間の分け前が「もらい過ぎ」に見えてきたんでしょう。貢献度や生産性に基づいて評価して、その格付けに基づいて資源を傾斜配分するという「新しいルール」が導入された。ある時期から「公務員叩き」や「生活保護受給者バッシング」が始まって、「もらい過ぎ」をむしり取るということに人々が熱中するようになった。もちろん、給料を下げても、働くモチベーションが下がり、能力のある人が逃げ出すだけで、何一つ価値あるものは生まれないわけですけれども、それが社会的公正の実現であるかのように思い込んで、いまだに懲りずに同じことを繰り返している人たちがいる。そうやって人の足を引っ張っているうちに日本はここまで衰えたわけですが。

白井　査定主義は結局、減点主義になるのですよね。だから、思い切ったことをやって失敗して大減点されるよりも、何もしない方がよいという判断になります。当然ですよね。だから異次元金融緩和をやってみたところで全然景気浮揚しなかったわけです。金融緩和は、要するにカネを借りやすくする政策ですが、アニマル・スピリットが完全に枯渇しているので誰も借りない。

社会は〝じわり〟と変わるもの

白井　幸いなことに、うちの子は生まれた瞬間から元気がよくて、あっという間にむくむく大きくなりました。とても生命力があります。それが変な空気に押し流されて元気を失っていくようであれば、即刻、学校を変える覚悟をしておかないと、と思っています。

内田　オルタナティブ・スクールの中には面白い学校はいくつもありますから。

白井　日本には、ただ単に息をして水を飲んで、生きているだけで若者の生命力を奪うような何かがあるということでしょう、非常に恐ろしいことです。

内田　どうしてなんでしょうね。子どもがのびのびしているのを見ると、恐怖心を与えたり、笑顔を凍り付かせたりしようとする。それがほとんど制度的に行なわれている。

白井　そうなのです。しかも、大半の教育者はそんなことは望んでいないはずで、にもかかわらずそうなってしまうのです。まさに制度的ですね。その結果、子どもの自殺率が高い社会に日本はなった。本当に、これほど恥ずかしいことはないですよ。「子どもを守る」というのは人倫の基礎であり、それをしようとしない社会は、存続するに値しない最低の社会です。

内田　先日、大阪の小学校の先生たちがうちに来たので、現場の様子を伺ったのですが、教員不足が深刻だそうです。４月段階では何とか人数が揃っているけれど、誰か一人抜けると、教頭が担当したり、70歳過ぎの退職者に来てもらって頭数を揃える。その状況で誰かが過労で倒れたり、メンタルをやられて離職したりすると、もうどうにもならない。教員採用試験の受験者も激減していますので、もう少しすると一クラス生徒35人という学級が維持できなくなるかも知れない。そういう場合は、どこかの教室で授業をして、先生のいないクラスはオンラインでモニターで授業を見ることになる。それではもう教育にならないと先生たちは危機感を募らせていました。

第6章

「暴力」の根底にあるもの

安倍元首相銃撃と岸田首相襲撃事件

白井　2023年4月の統一地方選の最中、岸田首相の襲撃事件が起こりました。安倍元首相の暗殺事件から1年も経っていません。その間の22年11月には社会学者の宮台真司さんの襲撃事件もありましたよね。私はこうしたいわゆる政治と暴力の問題を非常にリアルに感じています。

実は私にも22年秋に脅迫状が送られてきました。犯人は捕まっていないけれども、その時は別に何も感じませんでした。本気のやつは黙って襲撃してくるだろうから放っておけばいいと思っていた。けれども宮台さんが刃物で襲われて重傷を負ったことで、気分的にかなり変わりました。宮台さんは本当に危なかった。運よく死なずに済んだけれども、死んでいても全然おかしくないような深刻な攻撃だったわけです。事件後に宮台さんは「殺害予告みたいなものは今までたくさんきていた。本当にやるんだったら黙って来るだろうと思っていた。ただ感覚が麻痺していて、警戒心がなくなっていた。そのことを後悔している」というふうに語っていました。私には、この宮台さんの言葉が非常に印象的でした。

山上徹也被告による安倍元首相銃撃からターゲットが特定化されるようになってきたのではないでしょうか。つまり、山上被告による事件が解き放った暴力という要因があるように見えます。

これまでも「無敵の人」と呼ばれるような人たちによる暴力の激発はありました。最も代表的なのは2008年6月に東京・秋葉原の歩行者天国で起こった無差別殺傷事件でしょう。ターゲットは文字通り無差別、たまたまそこに居合わせた一般の人たちでした。それに対して、権力者である安倍元首相、岸田首相、あるいは権威があると見なされた知識人の宮台さんと、権力や権威に対して暴力の方向性が向き始めたわけです。

無差別的な暴力の激発は、殺人というより、拡大自殺ととらえた方が適切なのかもしれません。死刑になることを目的にやっているフシがある。これとは対照的に、山上被告以降の事件は、自らの死ではなく、特定の他者の死が明確に目標になっています。

ただし、犯行の動機はそれぞれ違います。岸田首相に爆弾のようなものが投げられた事件は、ターゲットは現職の総理大臣ですから、まさに権力へ向けた暴力ということになります。けれども犯人がなぜそうしたのか、常人にはわからない論理で行動に走っているわけです。

安倍元首相の暗殺事件は動機をたどれます。自分がこんなにひどい目に遭ってきたのは統一教会(世界平和統一家庭連合)のせいだ、と。また、山上被告がツイッターなどに書き込んだ内容を読むと、個人として統一教会を恨んでいただけでなく、より普遍的な見地から同教団の反社会性を絶対に許せないという思いが滲んでいます。だから総裁の韓鶴子《ハンハクチャ》を殺さなければならないけれども、それは無理だ。だったら日本で統一教会を守ってきた頭目をやろう、誰だ、安倍だと。そういうかたちで山上被告の場合は論理をたどれます。

では、宮台さんを襲撃した犯人の中で、どういう動機形成がなされたのか。犯人が証拠隠滅、犯行動機の参考になるようなものを全部捨てたうえで自殺したので、よくわかりません。

ただ、いわゆる引きこもり的な生活を送っていたことは明らかです。また、知識人に対する憎悪があったと言われています。だから孤立している中で、何か気に食わないことを言っている知識人の代表として宮台さんが狙われた。それにプラスして、家から近かったという理由があると思います。相模原の犯人宅の辺りから宮台さんが勤める都立大学のある八王子の南大沢は、感覚的にはいわば近所です。

その程度のことは想像できますが、ターゲットが宮台さんでなければならなかった必然性は、やはりよくわからないんですね。たとえば、1930年代半ばに天皇機関説排撃運動が起こった時、法学者の美濃部達吉が右翼に殺されかけました。あれはターゲットはまさに美濃部達吉でなければならなかったわけです。それに比べたら、宮台さんを殺さなければいけない必然性は全く薄くて、別に他の人でもいいじゃないかというふうに見えます。

岸田首相を襲撃した犯人の場合はどうか。これもよくわかりません。すごく情報統制されている感じがあって、動機の解明が進んでいない印象です。ただ、犯人が政治に関心を持っていて、選挙について「立候補の年齢制限や供託金制度がけしからん」などと言って裁判を起こしていたことはわかっています。

しかし、その裁判は本人訴訟でした。違憲性を主張して国に損害賠償を求めるという訴訟ですが、本気で裁判で争おうと思ったら、専門家である弁護士によって構成された強力な原告団を形成して、論理を精緻に作らなければいけないと普通は考えます。ところがそんなことをやった形跡はありません。言ってみれば全く手作りの訴訟、裁判だったわけですが、これは非常識と言っていいでしょう。犯人には物事をきちんとステップを踏んでやっていくという思考回路が全くないように見えます。

神戸地裁で裁判が行なわれ、判決は当然のことながら敗訴でした。それで国家権力のトップである岸田首相を殺すという方向へ向かったのではないかと推論したくなります。ただしそれは、やはり常人には理解できない論理なんですね。

いずれにしても暴力の無軌道な激発というのは既に相次いでいたわけですが、暴力がある種の方向性を持ってターゲットを見出すようになってきたというのが、安倍元首相暗殺以降の新しい傾向です。しかし、その内的論理は混乱の極みでしかありません。そういうかたちの暴力が吹き荒れる時代になってきた。そこに私は非常にリアリティを感じています。

だから自分も身辺に気をつけなければいけないなと本気で思っています。いつ、どこから、どういう暴力が飛んでくるのかわかったものではない。そういう本当に嫌な状態に入ってきたなどと。それが今の私の感覚なのですが、内田さんにも殺害予告が来たりしませんか。

政治的テロリズムと呼べない理由

内田　僕のところには殺害予告は来たことがないですね。もともと僕はネット上のリプライを読まないので、自分が世間でどういうふうに言われているのか知らないんです。ときどき「炎上してますよ」と知らせてくれる人がいますけれど、知らないうちに自然鎮火しているみたいです。

ネット上での脅迫とか罵倒とかは相手の生命力を減殺しようという「呪い」の行為ですけれど、呪いは相手に届かないと効果がない。効果がないどころか、「宛先」を見失った呪詛は呪いを発信した当人のところに戻って来るものと相場が決まっています。だから、「呪い返し」を避けるために呪いを発信する人たちは匿名を選択しているわけです。ということは、現代日本においても、みなさんは「呪詛」が効果的に機能することを知っているということです。呪いのルールにちゃんと従っている。ですから、僕も経験則に従って「鬼神を敬して之を遠ざく」で、「邪悪なもの」には近づかないようにしています。さすがに10年以上も「リプライ不読」を続けていると、「内田相手だといくら呪っても徒労だから、もう止めようか……」というふうになっているんじゃないかな。

白井　それでも変な逆恨みをする人がたくさんいます。とにかく内田の言っていることは気に食わない、けしからん、内田が日本を悪くしているから殺すしかないと妄想的に思っているような人がいても、全く不思議ではありません。内田さんが平気でいられるのは、やはり武道家であることが大きく影響しているのでしょうか。

内田　そうかも知れないです。自宅1階が道場ですからね。襲おうと思ってやって来ても玄関で「何のご用でしょうか」と門人が出てきますから。仮にそういう相手が5人、10人といるのをなぎ倒しても、2階まで駆け上がって「ラスボス」を仕留めるのは、けっこう大変だと思います。書斎には日本刀も置いてありますから、うっかり近づくとけっこう危ない（笑）。

白井　実際問題として、返り討ちに遭う可能性がかなり高い（笑）。

内田　人を襲おうという人だって、どうせやるなら費用対効果を考えて、リスクが少なく効果の多い相手を選ぶんじゃないですか。「相手は誰でもよかった」と言って、無差別的な暴力をふるうやつだって、女の人や子どもや老人、外国人や障害者のような弱い相手、あるいは社会的に孤立した、反撃されるリスクがない相手ばかり狙うじゃないですか。「無差別」といいながら、実は相手を選んでいるんです。

白井　そうですね。だから正確には無差別ではないんですよね。プロレスラーやヤクザを襲ったりしませんから。

内田　安倍さん、岸田さん、宮台さんに対する襲撃を「政治的テロリズム」と呼んでいいのかという問題もあります。僕はどれも「政治的テロリズム」の条件を満たしていないと思う。政治的テロリズムというのは、自分の政治的主張を広く世間に伝え、それを実現する合法的な手立てが他にないので、最後の手段として暴力を選ぶというもののはずです。だから、刑事罰を受ける覚悟で行なう。伝統的には、暴力を用いたその場で自死するというのがテロリストの倫理規範です。テロリストとは、自分の政治的主張を周知するために非合法的な手段を選び、その代償として自分の命を差し出す。この二つの条件を満たす者のことだと僕は思います。

明治時代、大久保利通を襲った島田一郎は「斬奸状《ざんかんじょう》」にはっきりと「有司専制の弊害を改め、速かに民会を興し」とテロの目的を明らかにしています。大隈重信に爆弾を投じた玄洋社の来島恒喜は大隈の進める「屈辱条約」締結反対運動の活動家であり、玄洋社の看板を背負っていた。彼らの行動の政治的意味については余人の解釈の入る余地がありません。島田は自首してのち斬首され、来島はその場で自ら首を刎《は》ねました。これが基本だと思います。ですから、自分の行為の意味を明らかにして、かつ自分が殺す相手の命と引き換えに自分も死ぬという覚悟がない行動を「政治的テロリズム」と呼ぶわけにはゆかない。仮に行為の政治的目的が開示されていたとしても、相手を殺すだけで自分は生き延びるつもりなら、それはただの「暴力」です。独裁者が反対派を虐殺するのと変わらない。

山上被告の場合は本人が書いたと言われるＴｗｉｔｔｅｒの分析で動機はだいたいわかりましたけれども、それも第三者に解釈してもらって、動機を推測してもらうというものでした。でも、テロリストが自分の行動の意味を第三者の解釈に委ねるということはあるはずがない。間違った解釈をされるリスクがあるわけで、それでは行動した意味がなくなってしまう。自分自身の言葉で「私はこういう理由でこの行為に至った」という開示をしていないという点では、岸田首相に爆発物を投げた人も、宮台さんを襲撃した人も同じです。

何の目的かわからないまま暴力をふるったのは、無意識だとは思うけれども、自分の目的をはっきり言うことに自信がなかったからではないかと思います。自分の意図を適切に伝えるような言葉を持っていなかった。それだけ精神的に未熟だったということです。わずかな文字数のうちに自分の意図を誤解の余地なく書くというのは、かなりの知的な成熟が必要です。実際には、言いたいことのほとんどを諦めるという覚悟がないと「斬奸状」は書けない。トラウマがどうしたというような個人史的な事情なんかをつらつらと書き連ねるだけの行数はない。でも、自分の言いたいことのほとんどを諦めて、政治的意図だけに限定するという覚悟がなければ、テロリストの資格はない。

さらに言えば、どういう意図でやったのかはっきりさせないほうが、いろいろな人がああでもない、こうでもないと仮説を立ててくれる可能性がある。その方が自分の名前の被言及回数が増える。言動の軽重を「フォロワー数」や「いいね」の数で考量する習慣になじんだ人間なら、「どういう意図で行なわれたのかわからない」という方がむしろ効果的だと考えるでしょう。

事件を起こす人たちに共通しているのは、「社会的承認を得たい」ということのように見えます。繰り返し事件が言及されて、集団的記憶に自分の名前を刻み込みたいと願っている。被言及回数を増やすためには「斬奸状」を書いて、行動の意図を明らかにしない方がむしろ効果的だという無意識的な計算が働いている。そんな気がします。現に、今まさに僕たちは「何のためにやったのかわからない事件」について言及しているわけですから。

社会には常に「怪物」がいる

白井　おそらく本人たちも何のためにやったのかわからないのではないでしょうか。秋葉原の無差別殺傷事件は巻き込み型自殺という面が強かったと言われますが、宮台さんの襲撃事件にはそういう側面もあるように思えます。

内田　狼は同類の狼と戦っても、最後に倒した相手の喉を嚙み切ることができないそうです。本能がそれを止めてしまう。それと同じで、人間でも人間の顔を拳で打ち抜くということはふつうできないんです。どれほど憎しみにドライブされても、感情を総動員しても、最後の最後で手が止まってしまう。同類に対する暴力については、生得的なブレーキがかかる。でも、一定数ですけれども、同類に暴力をふるうことにためらいのない人間がいる。まれにブレーキが働かない人がいる。そういう人は「暴力をふるってもよい」という大義名分が外づけされると、平然と暴力をふるうことができる。バットで頭を殴ったり、刃物で刺したりということができる人は本来備わっているはずの抑制装置を何らかの方法で解除しているわけです。何か「大義名分」をみつけてきて、暴力を解除している。

白井　ある種の暴力のプロであるところのギャングや暴力団などの人たちは、暴力のスイッチのオン・オフを自在にコントロールできるような訓練を経ているのでしょうね。

内田　軍人もそういう訓練をしていると思います。軍人は暴力抑制装置を解除しなければ戦えない。でも、日常的にはきちんとロックしておかなければ集団生活が営めない。その切り替え装置を仕込むのが「新兵訓練」の意味だと思います。相手が人間ではなく、モノにしか見えないというモードにあるきっかけで切り替えることができるようにする。

僕の中にはそういう切り替え装置がありません。誰を見ても人間にしか見えない。だから、僕は弱い武道家なんです。さきほど家には日本刀がありますとか言いましたけれど、どれほど乱暴狼藉《ろうぜき》をされても、たぶん僕は真剣を相手に向けて切り下ろすことはできないです。

学生運動の時代には暴力衝動の抑制を解除できる人間をたくさん見ています。さすがに目の前で人が殺される場面に立ち会ったことはありませんが、殺しても構わないというつもりで暴力をふるう人間は何度か見ました。それまで穏やかな顔でふつうに学校に通っていた学生が、同じ学生に対して、ただ政治的意見が違うからというだけの理由で激しい暴力をふるう。その同じ学生がしばらくすると、ふつうの学生の顔でキャンパスをすたすた歩いていたり、図書館で勉強したりしている。

それを見て、なるほど世の中にはそういうふうに切り替えができる人間がいるんだということを知りました。そういう人は暴力抑制のスイッチを解除すると、いきなり「怪物」が出てくる。

「誰でも自分の中に一人怪物を飼っている」という言い方をしますが、その怪物は必ずしもふだんの人格が過激化したものではないんです。ふだんから乱暴なやつがさらに乱暴になるというのではない。ふだんはひどくおとなしいやつがいきなり暴力的になる。どうもそういう人のふるう暴力の方が節度がない。自分の個性の延長上で暴力的になるということはなかなかできないんです。それだと暴力がもたらした流血や破壊を前にして、自責の念が生じるから。でも、学生時代に見た過度に暴力的な人たちというのは、いささかの「自責の念」もなしにふつうの学生の顔に戻っていた。つまり、暴力をふるっているときの自分と、ふだんのおとなしい自分の間に関連性がない。別人格なんです。

ですから、僕たちの住むこの社会には、むかし人を殺したことがあるけれども、罪に問われることなくふつうの市民生活を送っているという人がかなりの数いるんです。70年代初めの党派闘争の時代には学生がたくさん内ゲバで殺されました。脊髄損傷で下半身不随とか、失明とかいう人もたくさんいた。他党派の人間を捕まえてきて、鉄パイプで殴ったり、太腿に五寸釘を打ち込んだりということを大勢でやった。そういう集団的な暴力事件の場合は、殺人犯が特定されず、結局誰一人有罪判決を受けずに終わったというケースが多々ありました。彼らはそのまま卒業して、サラリーマンになって、家庭を持って、今ごろは年金生活者になっているんでしょう。誰もその人が過去に人を殺したり、半身不随にしたりしたことを知らない。たぶん本人に訊いても「そんなことあったかな」とうろ覚えだと思うんです。ふだんの自分と暴力をふるっているときの自分があまりに別人だと、その経験は夢の中の出来事のように曖昧になって、現実なのか悪い夢なのかたぶん識別がつかなくなっているんだと思います。

こういう「怖い人」をわれわれの社会は一定の割合で含んでいます。暴力のスイッチを解除して、人を殺せる人間が必ずしもすべて刑事罰を受けているわけではない。そのまま何食わぬ顔で生きている。そのことはわきまえておいた方がいいと思います。

「有名になりたい」という欲望

白井　23年5月、NHKの『クローズアップ現代』で闇バイトの特集があって、かなりの反響を呼びました。21年5月に滋賀県の高速道路のトンネル内で起こった交通事故で、窃盗の闇バイト後、車で逃走していた大学1年生の男子が死亡するという事件があったんですね。その親などに取材した内容でした。

大学1年生の男子は、関西の私立の中高一貫校で生徒会長まで務めて大学に入ったいわゆる優等生タイプでした。一方で、高校時代からYouTuber的なことをやっていて、動画ではホストになりたい、有名になりたいなどと言っていた。大学に入って大阪のミナミのホストクラブで働き始めたけれども、すぐに辞めて闇バイトの世界に入ってしまったわけです。

闇バイトのメンバーは彼を含む5人でした。彼らは大阪からレンタカーの軽自動車で名古屋に行き、市内の住宅で金庫を盗んだ。新名神で大阪に戻る途中、トンネル内でガス欠で止まった。そこに後ろからトラックに追突されて、18歳の彼と20歳の男性が死亡しました。

『クローズアップ現代』を観て、亡くなった大学1年生の男子が漏らしていた「有名になりたい」という願望がすごく引っかかりました。彼は普通に学校生活をしている分には、どちらかと言えばうまくいっていた部類のはずです。けれども、こんなのでは全然満足できない。もっと有名になりたい、キラキラしたいと突き動かされて、道を踏み外していったわけです。

彼のお父さんが取材を受けていろいろ話していましたが、家庭的な問題はなさそうで、かえって悲惨さを感じました。闇バイトの世界に入る理由はいろいろあるでしょうが、崩壊家庭とか貧困家庭といったいわゆる恵まれない境遇に育った青少年が入るケースが多いはずです。しかし彼の場合、明らかに中産階級以上の家庭で、普通に見れば、恵まれて幸せな境遇なんですね。

この話は、引きこもりから訳のわからない暴力、テロみたいなものへ走るというケースとは違います。ただ、「有名になりたい」という言葉で表された欲望の根底にいったい何があるんだろうかという問題は、内田さんが言った「被言及回数」の議論と共通性があるように感じます。

内田　「有名になりたい」という願望と闇バイトは直接にはつながりませんよね。しかも、大学に入って2カ月ほどの間にそういうことになった。何かお金に困っていたのかな。

白井　お金に困っていた感じはないですね。ホストクラブで働いたのも金や女ということではなく、話す技術を身につけたいということだったそうです。それを考えると、しゃべりがうまくなってYouTuberとしてアクセス数を伸ばしたかったのではないかと。

内田　ああ、なるほど。今の若い人たちは「有名人」というと、まずYouTuberを思い浮かべるようですね。それは社会的承認を求める欲望を満たす上で効率的な生き方に見えるからなんでしょう。自分のことを個人的には知らないし、たぶん一生会うこともない何万人、何十万人、場合によっては何百万人という人たちが、ＹｏｕＴｕｂｅの画像の中の自分の一挙手一投足に注目してくれる。それが経済的な利益とただちに結びつく。そういう生き方への憧れが若い人たちの間では強いと思います。承認されるのは、別に固有名でなくていい。アカウント名でもいいし、芸名でもいい。

その死んだ若者は生徒会長をしていたわけですから、自分の固有名の知られている範囲では十分な社会的承認を得ていたはずなんです。でも、それでは物足りなかった。「しゃべりがうまくなって」有名ＹｏｕＴｕｂｅｒになることの方が輝かしい生き方に見えたということなんじゃないでしょうか。自分を知っている人間から承認されても、それでは足りない。自分のことを知らない人間、一生縁がないような人間からも承認されたいということになると、その欲望は「病的」と呼ばざるを得ない。

人間が欲望するのは、ふだん見慣れているものだというのは『羊たちの沈黙』のレクター博士の名言ですけれども、ほんとうにそうだろうと思います。人間は基本的に自分がふだん眼にしているものに欲望を感じる。18歳の少年にしたら有名ＹｏｕＴｕｂｅｒたちの中には、自分と年齢も容貌も頭の出来もそんなに変わらないような人がいて、そんな人が何十万人ものフォロワーを持っていて、毎月何十万、何百万円も稼いでいる。それは自分の世界のすぐ隣にあるように見える。だったら自分もそこに行けるはずだ、そこは自分がいてもいい場所だというふうに思うようになる。でも、自分はそれほど有名ではないし、稼ぎもない。そういう対比を始めると非常に危険なことになります。嫉妬するようになるからです。「そこは本来俺がいる場所だ。何でお前がそこを占有しているんだ。そこをどけよ」ということになる。

嫉妬というのは、自分が嫉妬する対象と「交換可能」であるという思いから生まれる感情です。「そこは俺のいる場所だぞ」と思うから嫉妬する。はるかに遠い人は、どれほど富裕でも有名でも嫉妬の対象にはなりません。イーロン・マスクやビル・ゲイツを嫉妬するということを、僕らはしません。嫉妬の対象は身近にいる。

僕もずいぶん前ですけれども、しつこくつきまとわれたことがあります。本を出し始めた頃ですけれど、その人は僕と同じ年で、たぶん彼自身も物書きになりたかった人らしく、いくつかの媒体に評論を寄稿したこともあったようです。最初はネット上で僕の書くことを「まったくその通り」というふうに評価していたのですが、ある日突然、手のひらを返したように激しく罵倒し始めた。そのうちに大学に電話をかけてきて、「街宣車を送って、女子学生に危害を加えてやる」などと脅迫めいたことを言ってくるようにまでなった。

どうしてこんなに粘着されるのか考えたのですが、どうも「お前が今占めている社会的地位は本来俺がいるべきところだ。何でそこにお前がいるんだ。そこをどけ」ということだったように思います。それから後も、いろいろな人から何度か激しい憎悪の対象になったことがありますけれど、共通しているのは「そこはお前の場所じゃなくて、俺のいるべき場所だ」ということだったようです。僕が彼らの名声や収入を「盗んでいる」と思ったらしい。

闇バイトの直後に亡くなった18歳の彼も、自分ぐらい頭がよくてハンサムだったら、あとちょっとしゃべりがうまくなれば、有名YouTuberになれるはずだと思っていたんじゃないでしょうか。でも、それは嫉妬なんです。嫉妬という感情はほんとうに救いがない。まったく不毛な感情で、嫉妬からは「よきもの」は何も生まれない。

「承認渇望症」という社会的な病

白井　すごく言い方が難しいのですが、内田さんや私はいくらか有名なので、有名であることによる面倒くささというものを知っています。それで「有名になっても年収よりも有名税のほうが高くなるから、有名になることはそんなにいいことではないよ」と言ったりするわけです。けれどもそれを聞いた人は「お前たちは特権的な位置にいるからそういうことを言えるんだよ」というふうに反応するでしょう。しかし一つ、確実に言えるのは私にせよ内田さんにせよ、別に有名になりたくて仕事をしてきたわけではないということです。できるだけいい仕事をしたいと思ってやってきた結果としていくらか有名になったというだけの話なんですね。

有名になりたいという願望、あるいは内田さんの言った嫉妬心は、どう見てもそこが逆転していいます。非常に古典的な説教になってしまいますが、努力しないで有名になろうという考え方はやはりおかしいわけです。ただ一方で、若い人たちの間に「こつこつやっていてもどうにもならないよ」という閉塞感が漂っていることは間違いありません。その閉塞の中で「いきなり何かしらの手段で有名になれば、あとは金がついてくる」というような発想が蔓延してきているというのは事実だと思います。

内田　今はYouTuberのように、別にこつこつやらなくても、頭の回転が速くて、しゃべりがうまければ、ものの弾みでいきなり超有名になって、お金がざくざく入ってくるという特権的なキャリアパスが子どもたちの前にぶら下がっています。以前、20代のYouTuberたちと話したことがあって、一人はYouTubeからの収入が月50万円、もう一人は月20万円だと教えてくれました。月収50万円の人の方のYouTubeを何度か見ました。すごく面白いんですけれど、これをコンスタントに配信して、月収50万円を確保するのはたいへんだろうなと思いました。それでも、スマホ1個あれば、うまくすると、たちまちアイドル的、教祖的有名人になれて、高収入が得られるということになると、コストパフォーマンスとしては素晴らしく効率的なわけです。歌手になるとか俳優になるとかいうキャリアパスよりもはるかに短時間に、努力なしに有名になれる。これは子どもにとっては魅力的だろうなと思います。だから、今は小学生のなりたい職業の上位にＹｏｕＴｕｂｅｒが入っている。でも、小さいときから最小限の努力で有名になって、莫大な利益を得るという楽なキャリアパスばかり探していると、あまりいいことはないと思います。

白井 本当ですよ。しかも、誰でもそんな簡単に面白いことが言えるものではありません。それでもアクセス数を稼ごうとするから迷惑行為に走るわけです。近年は迷惑系ＹｏｕＴｕｂｅｒになって大炎上するという、ほとんど定番のルートができています。

内田 そうですね。いきなり世間の話題になるための早道は「破壊すること」なんです。みんなが守っているルールを破り、世の良風美俗をあざ笑うという行為が一番注目される。それ以外に発信すべきコンテンツを持っていない子どもたちにしてみたら、「アクセス数を稼ぐ」ためには、みんながたいせつにしているものに唾を吐きかけるのが一番効率的なんです。

白井 ポップ・アートの巨匠アンディ・ウォーホルは60年代後半に「誰でも15分間は有名になれる」と言いました。まさに今のメディア環境は、それを実現する世界になっているわけです。これはある意味、ろくでもないことですよね。有名になりたいという欲望とテロのような暴力が結びついているのであれば、なおさらです。

内田 世間の耳目を集めて、自分についてもっと語ってもらいたいという点では同種の欲望なんだと思います。出方はずいぶん違うし、刑事罰を受けるリスクは桁違いですが、社会的な注目を浴びて、自分の存在を承認されたいという欲求に駆動されているという点ではよく似ている。この過剰な承認欲求は今の日本の社会的な病だと言ってよいと思います。

“シカトされない”ための努力？

白井　イタリアの社会学者ラッツァラートが、本の中で欧米でも頻発している無差別殺人について、犯人たちの欲望あるいはメッセージの究極のところは「自分はここにいるんだ」ということだ、というふうに分析しています。まさにそれですよね。自分はここにいるんだということを、そこまでしないと認知してもらえない感じが、言ってみれば悪い空気のように日本に限らず流れているのでしょう。

内田　日本の場合は制度的な問題が大きいと思います。子どもたちの承認欲求を絶えず欠如するようにしておいて、ある目標を示して、これを達成したら「承認してあげる」というやり方で、子どもたちを誘導している。家庭でも、ある目標を設定して、「これを達成したらうちの子として承認するが、達成できなければ、承認しない」というストレスを子どもにかけるようになっています。

学校でも、クラスの子どもたち全員を歓待し、承認して、「みんなここに来てくれてありがとう。君たちは全員ここにいる権利があり、その権利を私が守る」と言い切ってくれる教師がどれだけいるでしょうか。むしろ、ある条件を示して、その条件をクリアした生徒はこのクラスにいて、授業を聞く権利があるが、条件をクリアできなかった生徒はここにいる資格がないという脅迫的なロジックを教師の側が操るようになっているんじゃないでしょうか。子どもたちを絶えず承認に対して飢えている状態にすることによって、承認というニンジンをぶら下げて子どもたちを支配制御しようとしている。

この方法が効果的であるためには「無条件の承認」ということは、家庭でも学校でも「してはならない」ということになる。たぶんその帰結だと思うんですけれども、今の子どもたちは、集団でいる時には「相互に無視し合う」ということがデフォルトになっている。相手を承認し、歓待し、祝福するというようなことは、ふつうはしない。相手があたかもそこにいないかのようにふるまうことが基本「マナー」になっている。

僕は東京に仕事用に部屋を借りているんですけれども、そのマンションはほとんどの部屋がワンルームで、若い勤め人たちが朝出勤して、夜帰って寝るだけの場所です。もう4年近く借りていますが、エレベーターの前で「おはようございます」「こんばんは」と僕が挨拶しても、まず返事をしてくれることがない。返事もしないし、眼も向けない。挨拶をする人間があたかも存在していないようにふるまう。たぶんそれが今ではふつうの「都会人のマナー」なんでしょうね。

基本的に相手に承認を与えないで、「承認に飢えている状態」にキープしておく。だから、今の子どもたちにとって、歓待され、固有名において承認されるということは、もう一種の「トロフィー」なんです。それを得たいと思うなら、それなりの努力をしなければいけない。

白井さんも同じだと思いますが、僕も不特定多数の人間からの承認とか称賛とか、ぜんぜん欲しいと思わない。他者からの承認に飢えていないから。自分は自分の意思で、自分がやるべきこと、自分がやりたいことをやっている。誰かに許諾されないとやらないということもないし、誰かに評価されるためにやっているわけでもない。承認なんかあろうがなかろうが、やることはやる。

以前、講演のあと、フロアーからの質問で「内田さんのその根拠のない自信はどこから来るんですか?」と聞かれたことがあります。困って、「子どもの頃に内田家のみなさんからかわいがっていただいたからではないでしょうか」と答えました(笑)。白井さんもそうじゃないですか。

白井 そうだと思いますね。私がまったく無名だった時分によく言われたのは「何の業績もないくせに何でそんなに偉そうにしているのか」。しょうがないですよね、だって偉いと思っているんだから(笑)。

内田　子どもの頃、家族にかわいがられて、抱きしめられて育った人はだいたいそうなるはずなんです（笑）。前に鈴木晶さんから伺ったんですけれど、人が根拠のない自信を持つのは、子どもの時に母親から豊かな愛情を注がれた結果なんだそうです。「こういう条件を満たしたら抱きしめてあげる」という子どもの側の努力の成果との引き換えでの承認ではなく、無条件に承認され、愛されてきたという幼児経験がある子どもには承認に対する飢えがない。だから、有名になりたいとか、威張りたいとか、相手に屈辱感を与えたいとか、そういう欲求がわいてこない。でも、今の日本社会を見ていると、その逆の人たちばかりになっている。たぶんこれはある時点から「軽々しく子どもを承認してはいけない」というルールが育児の中に入ってきたからではないかと思います。少なくとも学校教育の中では深く制度化されている。

教員たちの集まりによく呼ばれるんですけれども、そのときには教師の一番大事な仕事は、歓待と承認と祝福だという話をします。「ここは君のための場所だ」と言って子どもたちを歓待すること、「君にはここにいる権利がある」と言って子どもたち一人一人を固有名において承認すること、そして「君たちがここにいることを私は願っている」という祝福を贈ること。その三つができたら、それだけで学校教育の一番たいせつな仕事は終わっている。教科なんて別に教えなくても構わない。そう言うと、先生たちは驚きながらも、頷いてくれます。

「体育座り」の罪

白井　前にも「子どもたちが萎縮している」という議論はしましたよね。園児たちはみんなすごく伸び伸び元気にやっているけれども、小学3、4年生頃から縮こまるようになって、大学生になると本当に覇気がなくなって萎縮している。その背景には、特に90年代後半から組織文化の中に評価や査定が持ち込まれたことがあると。

内田　「縮こまる」といういまの白井さんの表現は適切だと思います。2016年に米誌「Foreign Affairs Magazine」が日本の大学教育について特集したことがありました。記事は「この四半世紀の日本の大学教育、教育行政は全部失敗した」と総括していましたが、印象に残ったのは、教員や学生に対するインタビューで、大学教育についての感想として、教師も学生も似た形容詞を使っていたことでした。彼らが大学に対して感じることとして選んだ形容詞は三つで、「trapped（罠にかかった）」と「suffocating（息ができない）」と「stuck（身動きできない）」でした。狭い穴の中に押し込められて、身動きの自由がきかず、息が詰まるというのが学生たちの大学生活の身体実感なわけです。

白井　いわゆる閉塞感ですよね。

内田　閉塞感が心理状態というよりほとんど身体実感となっている。子どもたちが身動きできず、ゆっくり息もできないと感じているのは、制度的に管理されているというだけじゃないと思います。子どもたち自身が自分で自分の心身を管理し、抑圧している。

その典型が「体育座り」です。膝を抱え込んで床に座る体育座りは、自分の腕と足を檻にして自分自身を縛り付ける体位です。胸が締めつけられているから深い呼吸ができない。手遊びができない。立ち歩きができない。子どもたち自身が自分の身体を身動きできない状態にしている。竹内敏晴さんはこの「体育座り」を「日本の学校教育が子どもたちに及ぼした最も罪深い行ない」だと批判していました。

体育座りは今の学校教育を身体的に表象していると思います。子どもたちは自分自身で自分の心身を縛り付け、息ができないようにしている。子どもたち相互でも、お互いがお互いの檻に相手を閉じ込めていく。それぞれが囚人でありかつ看守であるという仕方で相互に監視し合っている。教師や親も子どもたちを監視している。だから、彼らが「罠に嵌《はま》って」、「身動きできず」、「息苦しくてたまらない」という身体印象を語るのは当然なんだと思います。

前に「中高一貫教育は非常によくない」という議論をしましたね。12歳の時に設定したキャラクターを18歳までに変えられないからよくない、と。中高一貫の男子校出身の白井さんはあまり同意してくれなかったけれども(笑)。思春期には劇的に心身が変化します。読む本も聴く音楽も観る映画も変わる。性的指向も変わる。当然、それまでの友だちとは話が合わなくなる。でも、孤立は怖い。だから仲間にとどまろうとして無理してでも同じキャラを演じ続ける。キャラを演じている限りは集団内部に居場所がある。でも、このキャラなるものは、自分自身を閉じ込める檻でしかないわけです。その檻の中にとどまるということは、自分の変化や成長を自分自身で妨害しているということになる。

日本社会は、学校に限らず、あらゆる組織が個人を檻の中に閉じ込める仕組みになっているように見えます。子どもたちが「有名になりたい」という欲求を持つ理由は単純ではないですけれども、有名になることによって、押し込められて、息ができなくなっている檻の中から解放される。そういう夢を託している面があるのではないかという気がします。

自己防衛の果てに壊れる若者たち

白井　なるほど、ずうっと自分が閉じ込められていたキャラクターから有名になって脱出すると。確かにいまの大学生を観察していても、ともかく窮屈そうです。たとえば、授業をしに教室に行くと、教室の電気がついていないんですよ。薄暗い部屋で、黙ったままボオッと席に座っている。まことに不気味な光景ですが、私は何度も遭遇していますし、多くの同業者が同じ証言をしています。どうやら、自分が率先して電気をつけるという行為によって周囲から突出したくないようなんです。そのような状態がいかに異常なものか、当人たちが気づいていない。

この光景に遭遇する度に、私は説教をかますようにしていますが、それでもこの光景が減らないところを見ると、他の大学教員たちはこの状況を肯定してしまっているようです。

こうした精神状態で知的発展というものができるわけがない。ほとんど引きこもりのような精神状態です。

例外的にそうした状態と無縁の学生はいて、そのような学生に限って社会的関心は高く、勉強熱心でもあります。そして、私が見る限り、そうした学生は精神疾患の発生率が高くて、程度はいろいろですが、鬱病が多いです。調子のいい時はいいけれども駄目な時は駄目で、普通に見えても、実はずっと服薬しているといったケースをよく見聞きします。

つまりは、この閉塞状況の危うさを正面から受け止めてしまう感受性があると、心身に変調をきたす確率が高まっている。これはまことに悲劇的な事態です。この時代の社会が課してくるある種の殻を破ろうとすると心身の健康のリスクと引き換えにしなければならない。

内田　僕は高校2年で学校にうんざりして高校を中退しましたけれど、そのとき親に「高校を辞める」と言ったら、頭がおかしくなったと思われて精神科に連れて行かれました（笑）。ほんとうに病気になったと思ったらしい。

白井　息子が変なことを言い出したから医者に連れて行く。そう発想したお父さんは開明的と言うべきですよ。素人目から見ても明らかにおかしい、医者の診断を受けたほうがいいという時に、むしろ親が診療を止めるケースがすごく多いわけです。我が子の精神の不調を一種の恥辱のように感じて、それを認めたくなくて、それで治療的介入が遅れて悪化させるというケースが多いんですね。

内田　さいわい僕の場合、精神科医は「どこも悪くありません」と言ってくれたんですけれどね。でも、親はそれでよけい混乱したみたいです。せっかく進学校に入学して大喜びしていた息子が、いきなり「高校辞めて、中卒労働者になる」と言い出したんですから。でも、思春期ってそういうものじゃないですか。僕の頭の中ではつじつまの合った行動だったんですけれど、教師や親や中学時代の友だちからしたら「頭がおかしくなった」ようにしか見えない。実際に、僕の方も自分の感情や行動をきちんと言い表すだけの言語能力がない。だから、「頭がおかしくなった」と言えば、そうなんです。僕もちょっと壊れていたと思う。

思春期の子どもって精神的に壊れやすいんです。程度の差はあれ、みんなちょっとずつ壊れている。だから大学に入学時点では、中等教育におけるプレッシャーで心身がかちかちになっている。あれも「過剰に防衛的になっている」という仕方で「壊れている」んです。

でも、それも仕方がないんです。傷つけられまいとして、外殻を固めて、自分の本心を明かさないようにして、与えられたキャラを演じて、何とか大学までやってきたんですから。そのかちかちになった外殻を取り除いて、彼らの自己防衛を武装解除するのに2年ぐらいかかる。

「ここは君たちを査定したり、格付けしたり、ルール違反を処罰したりするための場所ではありません。君たちが好きなことをして、思っていることを言葉にして構わない場所です。ここは深呼吸していい場所です」という言葉を信じてもらうのに2年かかる。

白井 もう半分、終わっているじゃないですか。

内田 そうです。僕がいた大学では入学してすぐの基礎ゼミから2年間ずっと僕のゼミを履修する学生がけっこういました。その子たちはそのまま3年生になって僕の専攻ゼミに入ってくる。だから、1年生からの経年変化がよくわかる。1年生の頃は、腕を組んで、伏し目がちに座っていた子たちが、まっすぐ前を見て座るようになる。ニットキャップを目深にかぶって目を隠していた子がある日キャップを脱ぐようになる。そうやってしだいに胸襟を開いて話し出す。この子はこんな声だったのかということを入学して2年経って初めて知る。

白井 はい、姿勢の悪さ、眼差しの無力感、気になりますよね。心理状態が身体の挙措にまで現れている。結局、自己防衛なんですよね。

内田 中等教育で相当痛めつけられてきたんだなという感じがします。

白井 いまのお話はとても参考になります。まずはコチコチになっている心と身体をほぐさなければならない。

私も大学で基礎ゼミをもたされてレポートの書き方の指導なんかをしなければならないので

すが、これがなかなか難物だと感じてきました。「書きたいことを書けばいいんだよ」などと身も蓋もないことをつい言ってしまうのですが、実際自分は「書きたいことを書く」ことしかしてこなかったんで、それ以外言うことがない。主張のない論文はつまらないですから。

しかしどうやら、問題は「書きたいことを書く」以前のマインドセットにあったようですね。「書きたいことを書く」とは、要するに何かを主張することです。だから私の指導は、「何かを主張しなさい」という命題に約言されるわけです。しかし、「言いたいことを言う」「何かを主張する」という行為が、いまの若者たちにとってとてもハードルが高いというか、前代未聞の課題として現れてしまうわけですね。「え!? そんなことしていいのか?」と。この戸惑いを解いていくところから始めなければならないんですね。

これが解けないで、ある時ぱんっと弾けてしまうと……。

内田 精神疾患のようなかたちで発症する子もいるだろうし、暴力衝動のようなかたちで出る子もいるだろうし、出方はいろいろあると思います。

白井 ただ、私の時代の中等教育が今日よりもずいぶんよかったかというと、そうとは思えません。それこそ体育座りもさせられていた。内田さんの時代もそうじゃないですか。

内田 体育座り、僕は覚えがないです。僕たちの時代の教師たちはおおかたが戦中派でした。男の先生たちはほとんど戦争に行って、敗けて、ひどい目にあって復員してきた人たちです。

だから、この世代の先生たちは基本的に国家を信じていないというところがありました。目の前で大日本帝国が瓦解《がかい》するのを見たんですからね。昨日までの軍国主義教育が一夜明けたら民主主義教育になった。だから、「国家というものは信じられないものだ」ということは、どんなに権威主義的な教師でも、経験知として内面化していた。虚無的で、いかなる権威も認めないという不敵な教師もいました。おそらく戦中に「人間というのは信じられないことをするものだ」という口にすることのできないような経験をしてきたんでしょう。そういう絶望的に虚無的な教師たちもかなりいましたから、戦後のある時期までの中等教育では、体育座りのような軍国主義的な管理は忌避されていたんじゃないですか。

ニヒリスティックな教師の必要性

白井　私も何人か記憶に残っている面白い中高時代の先生がいますが、共通してニヒリスティックなところがありました。そういう先生に限って教え方がものすごくうまかったりするいわゆる優秀な先生でした。

たとえば、中2の時の担任だった国語の教師、早稲田大卒の若い先生。横浜の学校に、その先生は埼玉の所沢から車で通っていました。母親から聞いたのですが、父母会の自己紹介で「家が遠くてつねに寝不足です。車で通勤していますが、道が真っすぐなところで寝て、カーブで起きるんです」と言ったそうです。母は「何だか変わった先生ね」と言っていましたが、今だったら大変な問題発言になりますよね。私が中等教育を受けていた90年代は、まだおおらかだったと思います。

本当にすごくいい先生で、高校3年生の時、私の学年で古典の授業がいまいちだから困ったという話になったんですね。それで、もうわれわれの学年の担当ではなかったけれどもその先生に相談しに行ったら「だったら面倒見てあげよう」と。休日に公民館の集会所で、駿台の古文要説の『大鏡』や『源氏物語』を読み合わせるゼミを延々とやってくれました。これは非常に役に立ちました。もちろんタダ、完全ボランティアです。生徒にとっては本当にありがたい先生でした。

それから英語のY先生。この人も強烈でしたね。もともと山口県の甲子園に出場するぐらいの強豪校の高校球児だった。野球ばかりやっていて全然勉強していなかったけれども、3年生の夏の大会が終わったところで突然目覚めて猛勉強したんだそうです。中央大学の英文科に入って修士まで行った。英語の教え方が徹底的にシステマティック、英語の仕組み、文法を原理的に理解させるというスタイルで、非常に優秀な教師でした。Y先生は授業で、たとえば「この単語の品詞は何だ」という質問に生徒が間抜けな答えを言うと、すぐ教科書で引っぱたく。あるいはすぐ「ばかもん」と罵倒する。これも今だと大問題になるでしょう。

たまにものすごくニヒリスティックなことも言っていましたね。「わしはな、夜中に聞くとふっと死にたくなるような中島みゆきの曲のカセット集を作っているんだ」などと（笑）。口調が独特だったのは、山口弁が抜けないせいです。私はY先生を失望させてはいけないという一心で一生懸命に英語を勉強したクチです。さらに、後の院生時代に英語の教師業をやってずいぶん稼がせてもらいましたが、わりに評判が良かったのはY先生から教わったおかげです。結局、記憶に残る教師には感化する力があるんですよね。

内田　ニヒリスティックな先生は、たぶん学校という制度が暫定的なものに過ぎないということを知っているんでしょうね。だから、教え方がうまい。暫定的な制度に過ぎないのだから、そういう場所は、なるべく手間暇かけずに、心身を壊さずに通り抜けた方がいい。だから、「楽して点とる」仕方を教えてくれる。

白井　そうですね。彼らは男子校の男の子たちに対して全身からメッセージを発していたと思います。それは、「本物の男、仕事ができる男は、ニヒリズムをかかえているものだ」と。それは、言い換えれば、本当に大事なこと以外はどうでもいいんだ、ということであり、実は彼らのニヒリズムはモラリッシュなものだった。だから必然的に、こうしたニヒリストは公式のルールに対する遵法精神が著しく欠けています。

内田　僕は大学院生から助手の頃に10年以上予備校の教師をやっていました。受験フランス語を教えていたんです。受講生の進学実績が例外的に高いクラスだったので、ある時期から予備校のパンフレットに「内田樹の奇跡のフランス語」というタイトルがつくようになった（笑）。

僕のクラスに来る予備校生って、フランス語を全く知らない子たちなんです。四月にａｂｃから教えて、週二回10ヵ月で大学受験問題が解けるレベルまで持ってゆくんです。ふつうに考えたら不可能なんです。でも、これができる。

フランス語受験を選ぶ子たちって、要するに英語ができない子たちなんです。中学高校と６年間英語やって、ぜんぜんわからなかった。だから、「藁《わら》をもつかむ」つもりでフランス語受験を選んだ。でも、フランス語の方が英語より難しいんですよ！　発音は難しいし、文法も複雑だし。だから、英語ができなかった子たちにフランス語ができるようになるはずがないんです。でも、不思議なことに、この子たちが12月くらいになると大学受験の問題をすらすらと解けるようになる。東大に入った子もいました。

一つは彼らの「英語ができない」というのが思い込みであること。実際には外国語を理解する十分な知的能力はあるんだけれど、中等教育のどこかの段階で「お前は英語ができない」という査定を受けて、そのせいで英語を理解しようとする回路がロックされてしまった。フランス語は初めて学ぶ外国語ですから、その「ロック」がかかっていない。だから、ゼロから教えるとすらすらと頭に入る。

僕の教え方もけっこううまかったと思うんです。僕は受験勉強が嫌で高校中退した人間ですから、こういう面倒なものは「最小限の努力で、最大限の効果」を上げられる方法ではやく済ませたい。だから、できるだけ効率的に試験問題を解けるにはどうしたらいいか、それだけを考えた。

語学は暗記だとふつうは言われるんですけれど、僕は逆に理屈で教えた。フランス人の世界観はどういうものであるか、時間意識はどういうものであるか、それがわからないとどうしてこんな文法規則があるのかがわからない。日本人の言語感覚からいったん離れて、フランス人の言語感覚の中に想像的に入り込めば、このややこしい文法規則が理解できるのではないか……というやり方をしました。これはなかなかうまく教えられたと思います。「効率的に教える」というのは「本質的なことを教える」ことだということを、この予備校時代に確信が持てるようになりました。

だから、縮こまって窒息しそうになっている子どもたちに空気を供給するためには、教師は学校という制度に対してある程度は虚無的であっていいんじゃないかと思います。「学校なんか暫定的な制度だ。こんなところで傷ついてはいけない。早く通過してしまえ」、と語れる先生たちが必要なんでしょうね。

「連帯して、戦うんです」

白井　私は毎週、大阪大学に非常勤で外国語学部に行っているのですが、新しいキャンパスに移ったら全面禁煙になっていてタバコを吸う場所がなくなりました。それでふとツイートしました。「喫煙所も置かないような大学が多様性とか語るんじゃねえよ、片腹痛いわ」と。プチバズったけれども、「多様な価値観に開かれて、もっと自由になりましょう」といった耳障りのいいことを言う一方で、現実には、ぎゅうぎゅうやっている。阪大に限らず、そういうことが至る所で目につきます。

内田　大学はどこも管理強化されていて、どんどん息苦しい場所になっていますね。多様性なんて「よく言うよ」と思いますね。管理過剰なんです。

白井　内田さんにしても私にしても、今の時代の若者として生まれていたら、相当苦労していたかもしれませんよね。

内田　つらいでしょうね。僕はたぶんまたどこかで中退すると思うけれども（笑）。でも、現場の先生たちもみんな困っているんです。こんなことを続けていたら学校教育は持たないということは教員たち自身だってわかっている。管理職の人たちはわかっていないかもしれないけれど、現場の教員たちは強い危機感を持っています。だから、僕みたいな人間が講演会や研修会に呼ばれるんだと思います。もちろん呼ぶ人たちは僕の主張をよくご存じなんです。「学校は選別や格付けのための機関ではなく、子どもたちの市民的な成熟を支援するための場である。だから、できるだけ多様な教員が、多様な教育方法、多様な教育理念を持って子どもたちに接することが必要である。教員一人一人それぞれ言うことが違うという状態が子どもにとっては一番成長しやすい環境だ」という話をすると、先生たちはだいたい頷いてくれます。

講演の後の質疑応答では「先生の話はよくわかりました。では、私たちは明日から具体的に何をしたらいいんでしょうか?」という質問がよく出てきます。「連帯して、戦うんです」と答えると、みんなびっくりする。「それだけはできません」と。今の教員たちの最大の問題は、「連帯すること」も「戦うこと」も経験がないということだと思います。

白井　「あーあ」って感じですね。戦わない人生に何の意味があるものか。

内田　若者たちに直接「革命をめざせ」と語りかけてゆくしかないと思います。「君たちは何のために生きているんだ。16歳ぐらいだったら、『恋と革命』のために生きるしかないじゃないか」って。青春期に本気で取り組むことに「恋と革命」以外に何があるんだ、ということは、やはり社会的常識として言い続けておかなければならないと思います(笑)。

白井　ある時期まで、それは自明だったわけですよね。

内田　いつから「恋と革命」が若者たちの語彙から消えてしまったんだろう。

白井　それが常識じゃないかと言うと、「またおっさんがノスタルジックなことを言っている」と顰蹙《ひんしゅく》を買う（笑）。

内田　ノスタルジックかも知れないけれど、これ永遠の真理ですよ。

アジール（避難所）を作ろう！

白井　内田さんが「凱風館」を主宰しているのは、学校や他の場所もがちがちの管理体制になっていて、それこそ隙間のない世の中になってしまったので、ある種のアジール（避難所）を作るという意図がありますよね。ただ、運営しているうちに有名になってくれば、いろいろな人たちがやって来ます。そうすると何らかの管理をしないわけにもいかないでしょう。そうすると、せっかくのアジールが学校のようなものになりかねない。その点、どういうふうに工夫しているのですか。

内田　凱風館を始める時、僕の合気道の師匠である多田宏先生に「今度、自分の道場を作ることになりましたが、道場を作るにあたって心すべきことは何でしょうか。一つだけお教えください」と伺ったことがあります。多田先生はイタリア合気会を立ち上げて60年ですし、東京でも二つの道場を主宰されていますから、その経験を踏まえた道場運営心得を訊こうと思ったんです。そしたら、先生はにっこり笑って「うん、変なやつが来る」と（笑）。

これはなかなか含蓄《がんちく》の深いお言葉だなと思いました。別に先生は「挙動不審なやつが来るからセキュリティをしっかりしておけ」というようなことを言われたわけではないと思うんです。「変なやつが来たら門前払いしろ」という話でもない。変なやつは来ちゃうんです。そして、入門して、一緒に稽古するようになる。そういう人をよく見張って、きちんと管理しろというようなことを先生が言われるはずがない。そうではなくて、「道場を開くということは、必ず『そんな人が来るとは思ってもいなかった人』が来る。それを標準にして道場の制度設計をしたほうがいい」という教えだと僕は解釈しました。つまり、道場の入門条件を限定しない。「こういう人が来るだろうから、こういう教え方をしよう」というふうに事前にプログラムを決めておかない。誰が来ても何とかなるように開放的な状態にしておく。

実際、かなり言動が怪しい人も入門してきますけれども(笑)、2年、3年稽古しているうちにだいたいまともにはなるんです。あるいは「ふつうの人」だと思っていた門人が、何年か経って個人的に話す機会があったときに「先生、実は入門した頃、ちょっとおかしくなっていたんです」とカミングアウトすることもある。「あの頃は人生どんづまりで、一発逆転起死回生をめざして入門したんです」と。

元気いっぱいで、人生絶好調という人が武道の稽古を始めるということは実はあんまりないんです。武道を稽古しようとするのは基本的に「弱い人間」です。弱いから「強くなりたい」

と思う。多かれ少なかれ心身に何か問題を抱えている。僕自身がそうでしたから、よくわかりました。ですから、道場は学校や練兵場ではなく、むしろアジール、療養施設のようなものだと思います。ここに来て、傷んだ心身を癒して、元気に日常生活を送れる状態にして送り出す。それが武道の道場のあり方なんだろうなと思います。

精神と身体は不可分なんです。頭が固い人は身体も硬い。定型的な思考をする人は身体運用も定型的になる。道場では頭はいじれないけれども、身体はいじれます。自分がこれまでしてきた定型的な身体運用以外の身体の動かし方を学ぶと、思考の硬直状態も解除される。身体が柔らかくなると、頭も柔らかくなる。これはほんとうにそうなんです。最初のうちは緊張してかちかちだった人の顔がだんだん緩んできて、笑顔で道場にやってくるようになって、そのうちにみんなと一緒にお酒を飲みに行ったり、一緒に旅行やスキーに行ったりするようになる。そんなときに「実は私は……」という告白を伺うことになるわけです。

白井　そういう場を作るのは大学で教えるよりも楽しい、やりがいがあるなと感じますか。

内田　大学はどんなに手塩にかけた弟子でも卒業したらいなくなるじゃないですか。道場はそれがないんです。手塩にかけた弟子がずっと傍にいてくれる。今凱風館の塾頭をやっている女性は神戸女学院大学合気道部の教え子ですから、もう20年近い付き合いになります。大学は卒業しちゃうと、会うのは年に一度か二度になりますけれど、道場は卒業がないからほとんど毎日のように顔を合わせる。教え子がずっと手元にいて、その成長の様子を間近に見ることができるというのは、道場を創ったことの最大の贈り物ですね。

白井　結論は「道場を開け」ということですか。私も何かの道場を開こうかな……。

内田　白井さんは私塾をやったらいいですよ。白井さんが好きなことを縦横に教える学塾。扁額にどおんと「恋と革命」と書いて（笑）。吉田松陰の松下村塾のように、ぜひ白井塾で「恋と革命の志士」を育ててください。

白井　それはいいですね（笑）。文部科学省が差配する制度のなかでの教育活動というものにはそろそろ見切りをつけるべき時が来た気がします。私塾的なものをつくる取り組みは広がりつつあるので、新しい動きをつくりたいですね。

第7章
この国はどこへ向かうのか

未来を先取りしている？

白井　改めて日本の政治や社会について考えたいと思います。先に、維新の人気の背景には加速主義があるという議論をしました。加速主義はいわばやけくそ主義ですよね。

内田　そう言っていいと思います。日本社会がこのまま衰退していった場合にどういう末期的な風景が展開するか、それを早送りで見たいという好奇心が維新の政治をドライブしているという解釈はあり得ると思います。

白井　台湾有事に関して言えば、「早く中国と戦争を始めたほうがいい、はっきりさせよう」という気分が見られます。

内田　外交努力でぐずぐずするより、「いっそ戦って、負けたら負けたでもいい。とにかく結果を早く見せてくれよ」と。

白井　知的な若者で、そういうことを言う人たちは結構います。私も、彼らの言い分がある意味理解できてしまうのです。しかし、真っ先に危険にさらされるのは沖縄ですから、これは不公平です。

内田　白井さんも割と加速主義的傾向がありますね。僕なんかは保守主義者ですから、危機的状況の到来をなんとか一日でも先送りにしようとしますけれど、白井さんは「このままだとこんなひどいことになるぞ」と予測した以上、はやく「こんなひどいこと」を現実として突きつけたいと思う方でしょ。

白井 一つには経験則ですね。この20年ないし30年の間、この国は、「選択肢は複数あるが、これだけは選んではいけない」という選択肢のみを選んできたと見えます。ですから、これからの国際関係において最も選んではいけないのは、アメリカに唆《そそのか》されて日中戦争を始めてしまうという選択肢ですが、まさにこれを選ぶだろうと予測できるわけです。

このままいけば戦争になるということを考えもせずに、自民党に投票しているような人たちがいっぱいいるわけです、だから……。

内田 自分たちがいかに愚かな投票行動をしているか思い知れ、と。経済が破綻し、インフラが破壊され、みんな貧乏になって路頭に迷う未来を見せてやりたい。

白井 焼け野原にならないと目が覚めない。それが不可避なら早くそうなった方がいいのでは、ということになります。

内田 やっぱり白井さんも加速主義者だ(笑)。日本維新の会は典型的な加速主義政党だと思います。大阪で教育でもコロナ対策でも人口減でもあれだけ失政を重ねていながら圧倒的な人気を誇っているのは、大阪が「日本の未来を先取りしている」と思えるからじゃないですか。加速主義はわずかな入力差で劇的な出力変化をもたらす複雑系と相性がいいんです。

逆に加速主義となじみが悪いのは上下水道や交通のようなインフラ、行政、医療、教育などの制度資本です。こういうものは人間が集団的に生き延びてゆくためのものですから惰性が強い。状況が変わっても、簡単には変わらないのでないと意味がない。天変地異が起きようと、恐慌になろうと、「昨日と同じように機能している」ことが重要です。

だから、加速主義的な政治勢力は「社会的共通資本」を標的にする。大阪維新がまずやったのは公務員叩き、それから公共交通機関の民営化、医療拠点の統廃合、そして学校の統廃合ですが、みごとに社会的共通資本だけを標的にしてきているのがわかります。たぶん直感的な選択だったのでしょうが、過《あやま》たず目標をとらえていた。人間が集団的に生きてゆくときの安定的な土台を崩して、住民を流動化する。目端の利いた人間ならこの機会に乗じて公共財で私腹を肥やして個人資産を積み上げることができる。うすぼんやりした市民はその食い物にされる。安定性・継続性が命であるところの社会的共通資本を政治的・経済的変化によって激変する複雑系に作り替えた。

白井　大阪の加速主義は多分に無意識的なものに感じますが。

内田　資本主義の終焉が近いという予感は日本に限らず、どこの国でも何となく感じられているはずなんです。でもそれが一寸刻みでゆるゆると進んで生殺しにされるのはたまらない。それよりはいっそ「早く楽にして欲しい」という気持ちを多くの人が感じていたとしても僕は怪しまないです。

選挙で勝つのは〝詐欺師〟ばかり

白井　先ほどパイの分配の話が出ましたよね。結局のところ、日本の議会制民主主義は経済成長が前提だったのではないでしょうか。

議会制民主主義は多数決でもって議席を割り振ることによって、パイの分け方を決めていく。だから成長している時代はそれでいいわけです。しかし衰退局面に入ってくると、言ってみれば負のパイの分け合いをやらなくてはいけなくなってきます。「今まで供給できていましたが、もう今後は無理なので」という厳しい話をいろいろなところでしなければいけない。けれども、そんなことを選挙公約にした候補者が当選することはありません。だから候補者は「パイは増えるんですよ」ということしか基本的には言えないのです。そうすると結果として何が起こるか。詐欺師ばかりが選挙で当選するわけです。

たとえば、安倍政権がなぜあんなに長く続いたのか。安倍さん自身が言っていたけれども「やってる感」ですよね。安倍さんは俯瞰して戦略を立てているように見えなかった。にもかかわらず、本能的にそれがすべてだと知っていたわけです。

内田　あの人のそういう本能は卓越していましたね。

白井　安倍さんは名門出身だし、ふわっとした感じがあって人当たりもよかったわけです。その意味で、彼の人気は非常に底堅いものがありました。後継の菅義偉前首相は対照的に、田舎出の叩き上げで陰気に見えて人気がなく、政権は1年ほどしかもちませんでした。

要するに、いわゆる普通選挙を前提にしたデモクラシーでは、景気の悪い話は構造的にできないということです。景気の悪い話をして例外的に成功したのは小泉純一郎元首相ぐらいでしょう。選挙で「痛みを伴う構造改革」と言って喝采を浴びたのは、かなり奇跡的なことです。ただし、小泉さんが選挙で訴えたのは「日本経済の実力はすごい。でも最近調子が悪い。これは運動不足でぜい肉がついているからだ。ここでちょっと我慢して、ぜい肉を落としてやれば、また前のような強い経済になるんだ」というストーリーでした。だから「痛みに耐えて」というスローガンが人気を得ることになったのです。つまり、小泉政権時代の選挙はほとんど例外事象だし、これもまた「痛みに耐えれば復活できる」という話だから、やはり楽天的な話であるわけです。そしていまや、「痛みに耐えればよくなるぞ」と言っても誰も本気にしないし、そんな候補は当選できないわけです。

内田　せいぜい「みんな同じぐらいに貧乏になる」という提案しかできないでしょうから。

白井　それはある意味、真っ当な提案ですが、それでは選挙に勝てません。だから維新にしても、言っていることは結局インチキで、都構想や万博、IR・カジノをやれば大阪はすごくよくなるなどと花火をぶち上げて勝ってきました。実は全く根拠がないけれども、そういう宣伝を見聞きし続けていると、みんな何となくそれでよくなるような気がしてくる。これが人間の性というわけです。

内田　「溺れる者は藁をもつかむ」ですから。維新は藁を出す手際がよいから。

白井　しかし残念ながら、しょせん救命ボートではなく藁ばかりです……。

内田　万博もカジノも失敗すると思います。特にカジノは完全に絵に描いた餅ですから、オープンするよりだいぶ前の段階で開けば大赤字ということがわかって、誰一人責任を取らず、関係者全員逃亡という展開になると思います。

白井　松井一郎前大阪市長は既に逃げました。

内田　長居は無用ということでしょう。

白井　あの人はもともと自民党ですから、その辺の本能は非常にさえているはずです。あとは穏やかな老後を送ろうと。頭がいい（笑）。

内田　橋下徹さんも万博、カジノの失敗がわかる頃にははるか遠くに行っているでしょう。

白井　結局、彼は何をしたいのか。てっきり中央政界を狙うのだろうと思っていたのですが。

内田　中央政界を狙う気持ちがあったとしても、目的は政治権力を得て何かを創り出すことではなく、そこから日本的システムを破壊することだったと思います。この惰性的なシステムを崩して、社会的流動性を高めるということについては人並み外れた情熱を持っていましたから。おそらく橋下さんも本能的に動いていたのだと思います。彼は惰性の強い制度が嫌いなんです。こつこつと手順を踏んでいかないと変わらない硬いシステムに耐えられない。「レバレッジ一つ」でシステムを土台からひっくり返したいという欲望が人並外れて強い人なんだと思う。

白井 彼と組んだ経験のある人がよく言うのは、最初はマトモなことを言っていたのに、途中から話が全然変わってしまう、ということ。やはり極端な機会主義者なのではないかと思うのです。

内田 「右派論壇」は安倍さんの死後四分五裂している感じがしますね。

白井 橋下さんや三浦瑠麗さんも叩かれています。

内田 学者としても知識人としてもさして力のない人たちが政治権力をバックにして言論界で大きな顔をするというのは不健全ですから、消える人たちには消えていって欲しい。

白井 高市さんは安倍さんからある種の後継指名を受けたと認識されているのでしょう、右派論壇からまだ推されている感じです。

内田 どうかな。永田町政治での「泳ぎ上手」ではあるんでしょうけれど、停波でテレビ局を恫喝した以外は記憶に残るような政治的業績もないし。安倍さんがバックにいなくなったから、先はないんじゃないですか。

日本から「勇気」が消えてしまった

内田　思えば、放送法の解釈変更は学校教育法の改正と同時期のことでした。前者はメディアを政府の支配下に置く、後者は大学教授会の権限を根こそぎ奪った歴史的な法改正でした。学校教育法の改正に対して、当時大学人はほとんど何の抵抗もしませんでした。これまで大学教授会は大学内の最高意思決定機関として、入試判定、卒業判定、人事、予算配分まで決定してきたわけですけれど、その権限をことごとく学長・理事長に奪われて、ただの諮問機関に格下げになった。けれども、この権利剥奪に抗して、組織的な抵抗を大学人は何もしなかった。

白井　私はそのあと、今の勤務先の大学に就職しています。なぜ何の権限もない教授会に出席しなければいけないのか、よく意味がわからないんですね。

内田　僕はある医療系私大の理事をしていたので、理事会の議題に学則変更が出て、変更条項を読んでびっくりしました。教授会の権限がまったくなくなるという内容だったので、こんなめちゃくちゃな学則変更は大学教授会が受け入れないでしょうと言ったんですけれど、「文科省から下りてきたひな形通りのものなので、どこの教授会でも異論がなかった」と教えられて二度びっくりしました。学則上は理事長の専管事項であっても、重要な事案についてはそのつど教授会にお諮《はか》りしてそのご意向を尊重しますという説明で教授会は受け容れたそうです。たぶんよその大学でも「学則上は教授会には何の権限もないが、実質的には今まで通りの権限を認める」という口約束をして学則変更を呑ませたんだろうと思います。でも、学則上は教授会には権限がないんです。そのうち学長・理事長が代わって、ある日「これからは学則通りに運用します。教授会には何も決定権はありません」と言い出したら誰にも止められない。

白井　何かしらのことで決定的な対立になって、仮に法廷で決着つけようとなっても、学則通りですから教授会が敗けることになります。

内田　2015年当時、安倍政権の喫緊の課題は安全保障関連法案を通すことでした。「戦争できる国」にするための世論の地ならしとして、政府案に反対するメディアと大学知識人を黙らせる必要があった。だから、放送法でメディアを黙らせ、学校教育法で大学人を黙らせた。思惑通りにメディアも大学人も黙り込んだ。みごとに下絵を描いた政治家がいたわけです。

白井　内田さんが言ったような放送法の問題の本質を、自分たちのことなのに、きちんと報道しているテレビ局はありません。今に始まったことではないけれども、本当に日本のマスコミの惨状は目を覆うばかりです。

内田　四半世紀かけて徐々に劣化してきましたけれど、この数年の堕落ぶりはすごいですね。

白井　よくロシアのマスコミはひどいと言われます。確かにどのテレビ局も国家が過半数株主という事実上の国営なので、プロパガンダをやっています。しかし、そこに至るまでにロシアでは血の雨が降っているわけです。ジャーナリストたちがたくさん殺されています。

これは逆に言うと、事実上国営にしてジャーナリストを殺さないと、報道は統制できなかったということです。それに対して日本のマスコミは何なのか。別に政府が株主になったわけでも、誰かが殺されたわけでもありません。

日本のマスコミがなぜこうなってしまったのか。それは単に勇気がないからでしょう。

内田　そうだと思います。今は治安維持法もないし、憲兵隊も特高もない時代です。どれほど政府に批判的な報道をしても、そのせいで逮捕拘禁されて、拷問獄死するというリスクは日本ではあり得ない。命の安全が保証されているにもかかわらず、ジャーナリストが自粛するのはなぜか。正直言って僕にはわかりません。たぶん勇気がないからなんでしょうね。政府による処罰が恐いというより、横並びのメディアの中で自分だけ突出することが怖いからなんでしょう。

勇気というのは孤立するために必要な資質です。マジョリティと意見が違っても、自分が「正しい」と思うことは「正しい」と言う。多数派が間違っていると思ったら「間違っている」と言う。多数少数にかかわらず、自分が確信のあることについては譲らない。「自ら反《かえり》みて縮《なお》くんば千万人と雖《いえど》も吾往かん」という気合です。多数派に属している人間に勇気は要りません。勇気が要るのは孤立した少数派である時だけです。でも、今のジャーナリストたちはたぶん子どもの頃から「勇気を持て」と教えられたことが一度もないんだと思います。マジョリティの中での相対的な優劣を競うことには熱心に取り組んで来たけれど、マジョリティを向こうに回して孤立を恐れずに自分の所信を言い切ったという経験のあるような人間はまず今の大手メディアにはいない。

僕が子どもの頃、１９５０年代の少年たちが親や教師たちから強く求められたのは「勇気、正直、親切」でした。これには戦中派自身の反省が込められていたと思います。自分たちは時流に流されて、日本社会全体が間違った方向に向かっている時に「それは間違っている」と言う勇気がなかった。多くの人が「このままではたいへんなことになる」と思いながらも口をつぐんでいた。そのせいで、祖国は壊滅的な敗戦を迎えてしまった。自分に勇気がなかったせいで祖国を焦土にしてしまった。もっと勇気を持つべきだったというのは戦中派の偽らざる実感だったと思います。だから、戦後世代に向かって、まず「勇気を持て」と教えた。どれほど圧倒的多数派が相手でも退くな、と。それはもう少年マンガもぜんぶそうでしたから。

白井　逆に言えば、臆病者と罵られることが最低の不名誉ということだった。

内田　僕らが感じたのは「臆病者」を罵倒する風潮というよりはむしろ「勇気を持つ」ことを大人たちが僕ら子どもに向かって懇請するという感じでした。「お願いだから、勇気を持って生きてくれ」と子どもたちを励ますような時代の気分でした。

でも、ある時期から「勇気、正直、親切」という徳目が少年文化から消えました。それに代わって登場した新しいスローガンが1980年代以降の「友情、努力、勝利」という『週刊少年ジャンプ』の少年文化です。「友情、努力、勝利」だと、孤立している人間はそもそもゲームのプレイヤーとして認知されていない。だから、孤立した子どもは努力することも勝利することもできない。「まず仲間を作れ、それもできるだけ強い集団に帰属せよ」というのが80年代以降の少年たちに少年マンガを通じて繰り返し刷り込まれた新しいイデオロギーでした。「孤立してはならない。孤立したらおしまいだぞ」というイデオロギーがそれからほぼ半世紀近く日本の子どもたちに刷り込まれてきた。それでは勇気のある子どもなんか生まれるはずがない。

白井　非常に身に染みるお話です。私の場合、まずレーニン研究をやって孤立しました。『永続敗戦論──戦後日本の核心』（太田出版、2013年）や『国体論』も、いまから思うと孤立を求めているような仕事に見えます。しかし、これは経験上言えることですが、孤立するようなことをあえて言えば、敵もつくりますが、同時に仲間もできる。孤立すればよいことなどないのは当然なのですが、孤立を恐れない勇気だけが本当の仲間をもたらす、つまり孤立を脱することができる。この弁証法が大事なんですよね。

意気地なしの民放はつぶれる

白井　放送法の解釈変更で「停波もあり得る」と言われたら、テレビ局は「やれるもんならやってみやがれ」と言えばいいだけなんですよね。

内田　そうです。やればいいんです。「私どもの放送内容が気に入らないということで、総務省の命令により、本日ただ今より停波いたします。では、みなさんさようなら」とアナウンサーが言って画面がプツンと消えて暗転する。メディアが社会的にどういう役割を果たしているかを世に知らしめる上でこれほど劇的なチャンスはないと思いますよ。

１９５４年版の『ゴジラ』では、ゴジラの東京破壊を中継しているテレビカメラに向かってゴジラが近づいてくる場面があります。アナウンサーが「いま、ゴジラがこちらに接近してきます。もうここも危なくなりました。それではみなさんさようなら」と言っているうちにゴジラに放送塔が倒される。ゴジラの凶悪さをこれほど雄弁に伝える報道は他にあり得ない。だったら停波される瞬間を実況中継すればいいじゃないですか。「総務省がわれわれの放送を禁止します。日本の自由なジャーナリズムもこれで終わろうとしています。ではみなさんさようなら」というシーンはジャーナリズム史に残る名場面として繰り返し再放送されるのに（笑）。

白井　むしろ逆に、日本政府に停波をする勇気があるのか。ないですよ、停波なんてできやしない。

内田　「かつての報道番組には毒があった」などと言われたりもしますが、それがちょっと政権に脅されたくらいであっさり吹き飛んでしまうのだとしたら、その「毒」なるものも深く内面化したものではなくて、もともとただのデコレーションだったのかも知れない。

白井　本当に「意気地なし」です。安倍政権以降、「これぐらい言っておけば震え上がるだろう」と、テレビ局は完全になめられています。

内田　問題なのはもう「意気地なし」という言葉が否定的なニュアンスを持たなくなってしまったことだと思いますね。たぶん今のメディア関係者は「意気地がなくて何が悪い」とふつうに開き直っているんじゃないですか。「こっちは別にそんな大層な商売しているわけじゃないんだよ。商売になるなら、いくらでも変節する。それがプロというものだろ?」というくらいに居直っているんじゃないですか。

白井　昔気質の人がしかるべきところにいないのでしょう。「なめるな!」という意気地がなければ、テレビ局に限らず、市民社会は底なし沼的に劣化していきます。

内田　1960年代だったら、テレビ屋さんたちは政府の恫喝なんか恐くも何ともなかったでしょうね。何しろゼロから「テレビというもの」を手作りしていた途中ですから。草創期の「猫の手も借りたい」時期に何となくバイト気分で入って来た人たちですから、「さっきまでゼロだったものがまたゼロに戻るだけなら、面白いことをした方が勝ち」くらいに思ったんじゃないですか。でも、今のテレビ局社員たちって、有名大学を出て高い倍率を勝ち残って、エリートのつもりでテレビ局に入ってきた人たちでしょ。権力に抗う動機がそもそもない。

白井　はい、マスコミ全般そうなってしまっています。そういう価値観や生き方がつまらないものだという意識がない。だから一度更地に戻すしかない。テレビ局は1回全部つぶれろと……。

内田　白井さん、それだと「早く結果を見たい」という加速主義になってしまうんですよ（笑）。でも、僕も民放はそんなに長くは持たないと思います。5年か長くて10年。NHKは政府の広報機関として残るでしょうが、広告収入で番組の制作費をまかなうという民放のビジネスモデルは遠からず成立しなくなるでしょうね。視聴者が高齢者に偏っているし、広告を出す日本企業の体力がどんどん落ちているし。

白井　最近のテレビを観ると本当に貧乏臭くて泣けてくる。演歌の番組なんて伴奏はカラオケばかりになっているし、BSチャンネルもショッピング番組だらけですよね。

内田　それって、せいぜい高くて1万円以下の商品でしょう。今、タワーマンションのペントハウスに住んでいるような富裕層はもうテレビなんか見てません。購買力のある人に伝わらないのではもうテレビCMの意味がない。

新聞も末期症状

内田　新聞も危ないと思います。僕は２０１１年から13年にかけて２年間朝日新聞の紙面審議委員を務めましたが、当時の発行部数は公称８００万部でした。その時でもすでに年間５万部ずつの減と報告されていました。「年間５万部減って、結構深刻な数字じゃないですか」って委員会で言ったことがあるんですが、鼻先で笑われました。「内田先生、１年で５万部というのは、８００万部がゼロになるまで１６０年かかる計算ですよ」って。今、朝日新聞はもう４００万部を切りましたね。10年間で部数が半減したわけです。

新聞って、世の中の動きを察知して分析するのが本務でしょ。自分の本業であるメディアの現状についてこれだけ予測を間違える新聞記者たちが、それ以外の領域については適切な現状分析や未来予測ができるという推論に僕は与さない。メディアにとって「メディアの現状分析」ができていないというのは実は致命的なことなんですよ。でも、その危機感がまったく感じられない。

僕は全国紙には何とかして生き残って欲しいんです。全国紙というのは、国民的な対話と合意形成のためのプラットフォームだからです。30年ほど前までなら国民はどれかの全国紙の社説に「だいたい自分と同意見」の記事を読むことができた。それらの社説は出来事の評価については意見が割れていましたけれど、事実関係について争うということはまずなかったし、どのニュースにニュースバリューがあるのかという格付けにおいてもまず大きなずれはなかった。だから、全国紙のどれかを読んでいれば、他の国民と「今、何が起きていて、それについてどういう意見のばらつきがあるか」についてだいたいの了解は共有することができた。全国紙がなくなってしまうと、この「事実関係」と「ニュースバリュー評価」についての国民的了解の土台が崩れてしまう。通信社と地方紙である程度までは代替できるでしょうけれども、国民的対話と合意形成のプラットフォームとしてはそれでは物足りない。

でも、多くの国民が全国紙を読まず、もっぱらネットニュースやYouTubeのニュース番組で出来事を知るようになると、国民的な対話と合意形成はきわめて困難になる。そもそも今世界で何が起きているのかという最も基礎的な情報さえ共有できなくなるかも知れないからです。

白井　元朝日新聞記者の鮫島浩さんが『朝日新聞政治部』（講談社、2022年）の中で詳しく書いていますが、調査報道に脱皮するしかないと決断して踏み出した2014年、福島第一原発事故をめぐる「吉田調書」報道などでつまずいて、その方向をあっという間に捨ててしまったようです。

朝日新聞の事なかれ主義は、Twitterを見ていても露骨にわかります。これまではS

NS上で炎上リスクなどをはらみながらも、記者の個性みたいなものがクローズアップされることがいろいろありましたが、朝日新聞の記者は何も呟かなくなりました。上層部が厳しく統制しているのです。

内田　もうかれこれ10年、朝日新聞は僕のところにほとんど取材に来ないです。2000年代は連載コラムを持っていたし、寄稿もよくしていたけど。読売新聞には2000年代に映画のコラムを連載していましたけれど、それが終わってからはほとんど取材を受けたことがない（笑）。橋本治さんから聞いたんですけれど、『窯変《ようへん》源氏物語』が完成した時に、読売の学芸の記者が橋本さんにインタビューに行く前に「予習しようとして」読売新聞のバックナンバーを調べたら「橋本治」という文字列を含む記事が一つもなかったそうです（笑）。

白井　私も読売新聞の取材を受けたことはありませんよ。

内田　橋本治も白井聡も内田樹も、そういう人がこの世にいることを読売新聞の読者はもしかしたら知らないという……。

白井　ところが最近、講談社現代新書で出した『今を生きる思想　マルクス──生を呑み込む資本主義』の書評が読売に載ったのです。どういう風の吹き回しなのだかわかりませんが。中央公論新社は読売新聞の傘下だし、内田さんも朝日新聞出版の週刊誌AERAに連載を持っていますす。この朝日新書もそうですが、新聞社系の出版社は新聞社にコントロールされていないようですね。経済学者で法政大学教授の水野和夫さんも言っていました。水野さんが日本経済新聞で連載を持っていた時、「資本主義は終わる」といったことを書いたら連載中止になったと。

内田　それは当然（笑）。

白井　けれども、水野さんの本は主著が日本経済新聞出版社から出ているわけです。「なぜ出版社のほうは大丈夫なんですか」と水野さんに聞いたら「目が行き届いていないからでしょう」と（笑）。

内田　いや、「目が行き届かない」というのはなかなか大事なことです、本当に（笑）。

白井　その通りですね。それによって隙間ができますからね。

読売新聞も部数を減らしています。公称1000万部だったのが、今は663万部（2022年7−12月、ABC部数）です。それでも粘っているほうでしょうね。ビジネスホテルに泊まると読売新聞がタダで読めることが多い。そういう無料配布で部数を維持しているのではないかと言っている人もいます。

結局、インターネットが普及し始めた時にオールドメディア業界は大間違いをしたわけです。ネット上に流れているニュースの一次情報源のほとんどはオールドメディアです。しかし、たとえば「Yahoo！ニュース」はそういうコストをかけてできた情報をただ同然で買い上げて無料で配りました。それが今も続いています。だから本当は、そこを一斉値上げしないといけないのでしょうね。

内田　僕はニューヨーク・タイムズとリベラシオンの電子版を購読しています。ニューヨーク・タイムズはさすがに読みでがありますね。朝日も読売も早く電子版にすればよかったのにと思いますよ。デジタルなら次から次へと新しいニュースを配信できるし、紙面には載せられないくらい長い解説記事でも載せられる。そのメリットをなぜ生かさなかったのかなあ。

白井　今は動画配信も無茶苦茶に容易です。記者が現場でばーっと撮ったものをそのまますぐアップすることもできます。

内田　ニューヨーク・タイムズは長く発行部数100万部以下のクオリティ・ペーパーでしたけれど、電子版はいま全世界で800万部です。切り替えがビジネス的には成功した。日本の新聞は相変わらずTwitterにリードをあげて「あとは有料記事」というような誘導の仕方をしていますけれども、お金を出しても続きが読みたいと思うような記事にまずお目にかかることがない。

煽ることしかできないマスメディア

白井　日本のマスメディア、特にテレビは大枠も見ていないけれども、細かいところも見ていません。つまり、ほぼ死んでいる。たとえば、台湾有事の問題については中国脅威論を煽っているだけです。中国の中枢が本当のところいったい何を考えていて、どうしようとしているのかを直接調べて報じないといけないでしょう。もちろん、それを知るのは難しい。けれども難しいから調べられないでは、プロの仕事ではないでしょう。何らかのパイプを作って報じていくべきです。そういう構えをきちんと持っている人がどれくらいいるのか、今のマスメディアは非常に疑わしいわけです。

中国の権力中枢に接近すれば、相手は「こいつを囲い込んで、うまく使ってやろう」というある種の工作をかけてくるはずです。それで中国のスポークスマンになってしまうのは、もちろん駄目ですが、だからと言って、日本にはびこっている対中脅威感情に対して、こう言えば反応がいいだろうとおもねるのもプロ失格です。

これは中国に限らず、どの国を相手にしても同じことでしょう。アメリカやロシアのスポークスマンになるのも世間の風潮におもねるのも駄目なのです。ウクライナ相手でもそうです。

また当然ながら、どんなメディアの情報でも、常に受け取る側のリテラシーの問題がありますね。いずれにしても日本では今、「そう遠からず中国と戦争になるほかない」としか思えない情報の垂れ流しが続いていますよね。

内田　中国脅威論がもてはやされるのは、それが日本政府の国策に一致しているからだと思います。防衛費を増額して敵基地攻撃能力を持つという日本政府の政策決定に対して、ほとんどのメディアは、「中国のせいで安全保障環境が変わったから」という政府の理屈をほぼそのまま垂れ流している。中国がどういう世界戦略を持って行動しているのかについての考察がない。

白井　たとえば、サウジアラビアとイランとの国交正常化の合意を中国がどうやってまとめたのか。こうしたことも十分に報道できていません。要するに、日本は本質的な情報を持っていないし分析する力もないわけです。マスメディアの報道はそういう日本の悲惨な現状をさらしています。台湾有事にしろウクライナ戦争にしろ、よく出てくる防衛省防衛研究所の人や自衛隊OBの解説を聞いてもよくわかりませんよね。

内田　軍事を語るコメンテーターたちは「すべてのことは軍事で決まる」と思っている人が多いですね。軍事力を決定因子として過大評価する傾向がある。それは商売柄仕方がないんだけれど、実際には、物理的な軍事力の他に外交力もあるし、経済力もあるし、国際社会に対する発信力もある。ウクライナ戦争の場合なら、生の軍事力ではロシアが圧倒的優位にあったわけですけれども、ウクライナ市民の「寸土も譲らず」という激烈なナショナリズムがロシアの軍事的優位を覆した。でも、ナショナリズムは脳内幻想ですから、数値的にはカウントできない。軍事の専門家はそれよりはミサイルがどちらに何発あるとか射程距離がどうだとか、ドローンの単価がいくらだというような話で戦争を語ろうとする。でも、実際には戦況を決定しているのはしばしば脳内の幻想です。

白井　軍事の専門家たちが自分の守備範囲はこれだけだからと、ある意味のりをこえず、きちんとした情報に基づいて発言する分にはいいでしょう。けれども日本のマスメディアにありがちな現象で、「総合的に見てどうなりますか」「日本は今後どうしたらいいでしょうか」などと質問してしまう。それは本来、軍事の専門家には答えられないことです。しかし専門家たちも聞かれた以上、守備範囲を無視するかのような発言に誘導されてしまう。これが非常にまずいわけです。

内田　メディアの側に「どうしてもこれだけは報道したい」という主体性がないからだと思います。防衛費の増額と敵基地攻撃能力の保有が決まった後になって、「どうしてこういう現実が生まれたのか」をあたかも自然史的過程であるかのように報道する。「現実は現実化する必然性があったから現実になったのだ」というのはただの「現状追認主義」です。でも、日本人はそれを「リアリズム」だと勘違いしている。実際には、それ以外の選択肢がいくらもあったのに、諸般の事情によって他の選択肢が捨てられて、ある政策が選択されたというだけの話です。ほんとうの現実というのは、「それ以外の可能性」を含んだ、もっと複雑で重層的なものです。でも、それを語るだけの知力が今のメディアにはない。

メディアや知識人の大事な仕事とは？

白井　それにしても、これだけ国際情勢で大きな動きがあるにもかかわらず、まともな情報が日本のマスコミから入ってこなくなっています。

内田　情報も解説も分析も報道のレベルが低いですね。日本のメディアだけから情報収集していたのでは、世界が今どうなっているのかもわからないし、これからどういうシナリオがあるのかもわからない。蓋然性の高いシナリオから最悪のシナリオまで用意して、それぞれについて何が起きるのかをある程度中立的な立場から記述するのもメディアや知識人の大事な仕事のはずですけれども、日本のメディアではシナリオA、シナリオB、シナリオC……といった示し方がまず見られない。専門家たちにしても自分が正しいと思う見解を一つだけ言い立てるだけで、複数のシナリオを並べて見せて、それぞれの蓋然性を計量的に語るという作業はまずしてくれません。

白井　分析や見通しを間違うことはよくあります。それは仕方がないことなんですが、非常に良くないのはそれを全く反省しないことです。たとえば、2022年3月頃に「ロシアは制裁を食らっているから、もうすぐ国内経済が破綻する」と言っていた人たちは、特に何の修正もなく何の責任も取らず、延々と発言し続けています。これは何なのかと呆れますよね。

内田　予測なんか外れて当たり前なんです。ただ、外れた場合には、どういう情報を見落としていたのか、どういうファクターを過大評価あるいは過小評価していたのか、それを点検すればいいだけのことです。「予測が外れた」ということ自体がけっこう重要な情報なんです。われわれはどのような情報を見落としがちなのか、どのように主観的願望が情勢判断を狂わせるか、それを広く開示することは、知的なパブリックドメインを豊かにするために必要なことなんです。恥ずかしがったり、ごまかしたりすることじゃない。外れたら素直に「外れました」と言えばいい。

白井　それに、わかるところ、わからないところがどうしてもありますから。

内田　ロシアも中国も政策決定過程が不透明です。どういう議論を経て、どういう情報評価の末にある政策決定が下されたのか、そのプロセスがわからない。だから、僕らの予測が外れても仕方がないんです。たとえばプーチンと習近平が膝を突き合わせて何を話したのかなんか、僕らにわかるはずがない。「こういう話をしたかも知れないし、ああいう話をしたかも知れない」とシナリオの数をたくさん出すことしかできない。

白井　そんなに難しい話ではないですよね。よくわからないけれども、こういう話だろうというのは、常識的に考えればだいたい見当がつくはずです。

内田　ウクライナ国民が納得して、ロシア国民が納得して、かつ中国の国民も納得するという落としどころはここら辺だろうと。それを考えることはそんなに難しい話じゃない。

白井　経済制裁でロシアがどうなるかという話にしても、シナリオとしてはごく単純に二つでしょう。一つはロシアの経済は破綻する。もう一つはロシアの経済は破綻しない。この2通りです。

内田　そうです。

白井　結局、「しばらく見てみないとわからない」という話ですよね。ロシアがドルの決済システム「SWIFT（国際銀行間通信協会）」から排除された当時、「これは大打撃になる、これでロシアは破綻する」という意見が大勢でした。一方で、逆のことを言っている人も少数ですがいました。「これは逆にロシアや中国にとってはチャンスになる」と。これが今となっては一番冴えていることを言っていた人たちなのです。

どういうことか。ドルの価値、ドルの基軸通貨性は石油やゴールド、武器など特定の商品がドルでしか買えないということによって担保されています。まさにこの状況を保つために、アメリカは世界中に軍隊を派遣し、世界一の軍事力を誇示しているわけです。もう一つは決済システムですね。最もよく使われる通貨だから決済システムが最も高度に発展して利便性が高いし、トランザクション（取引）コストが安いわけです。そこから排除されたロシアは、何かほかの決済方法を考えるしかありません。「必要は発明の母」で、このことがロシアや中国のチャンスになるのです。これまで中国は、中国発の国際的な決済システムをいろいろ作ろうとしていたけれども、それほど大きな規模にはなっていませんでした。しかし、ロシアがドル圏から弾き出されることによって、一挙にオルタナティブな決済システムが発達する可能性が出てきたわけです。今ＢＲＩＣＳ諸国を中心に、米ドル以外の通貨によって決済を行なっていこうとする動きが次々に出てきています。

人間的ネットワークが足りない記者たち

内田　シナリオをたくさん提示することが大事だというのは、その方が人々の関心が高まるからです。特に「最悪の場合はこうなります」と言われると、やはり気になるから半身を乗り出してメディアを見聞きするようになるし、海外のニュースを読んだりするようになる。これはすごくいいことだと思うんです。選挙の時、世界では今何か非常に重要なことが進行しているということを知っている有権者と何も知らない有権者では投票行動が変わる。当たり前ですけれど、僕としては、世界で何が起きているかを知っている人に国会議員になってもらいたい。だから全国紙には消えて欲しくないんです。

白井　お金を出して買うに値すると思ってもらえる紙面をどうやって作るかという話ですよね。

内田　問われているのは報道のクオリティです。

白井　今後どういう人たちにどんな記事を売っていくか、結局まともに考えないまま、とりあえずおとなしくしていれば部数が下げ止まるだろうという発想になっている。これが今の朝日新聞ではないか。それでも毎月400万人分の購読料と、優良な不動産も持っている。まだ基礎体力はありますよ。同じような構図は朝日に限った話ではありません。

内田　オリンピックのスポンサーなんかになるお金があったら、紙面のクオリティを上げるために使えばいいのに。

白井　しかし、経営層も記者も変わる勇気がない……。

内田　総理や官房長官の記者会見の時に、ずっと下を向いてパソコンのキーボードを打っている記者の姿は本当に醜悪ですね。

白井　自分たちの姿がカメラに映ったときどういう風に見えているのか、全然自覚がないのでしょうね。

内田　記者会見というのは、できるだけたくさんの報道機関に来てもらって、できるだけ多くの国民にとりこぼしなく伝えて欲しいからやるものでしょう？　メンバー限定でやるということの意味がわからない。

白井　記者クラブから排除されて自分だけネタが取れない、いわゆる特オチを記者は非常に恐れている、というかそのことにしか関心がない記者が大多数のようです。

内田　クラブ経由でしかネタを取れないというのは、記者自身が個人的なネットワークを持っていないからだと思います。政治家って「オフレコの話」が好きなんです。「ここだけの話」

をしたくて仕方がない。記者もその情報をそのまま記事にはできませんが、バックグラウンドがわかれば、今何が起きているのか、その文脈を外さずに記事にできる。記者に政治的コンテクストを読む力があれば、記事に厚みが出る。そういうオフレコの信頼関係が築ける記者が減っているんじゃないでしょうか。

共産党のジレンマは日本のジレンマ

白井　『シン・日本共産党宣言─ヒラ党員が党首公選を求め立候補する理由』（文春新書、2023年）を上梓した松竹伸幸さんが本の発売直後、共産党から「分派活動は許さない」と除名されるという騒動がありました。内田さんが「生産的な対話の始まり」などと帯に書いて推薦した本ですよね。ヒラ党員と名乗っていますが、松竹さんはかつて共産党の政策委員会で安保外交部長を務めた人物で、私の友人でもあります。

内田　共産党員の方からは「党内では自由な議論の場が保証されている。党規約に従って党内で堂々と議論すればいい話だ。党外から発言するのはルール違反だ」というお叱りの手紙をもらいました。ただ、僕も松竹さんの帯文を書くにあたってはいささか政治的な計算をしたんです。本が世に出るのは統一地方選の直前です。この時期に「共産党はどういう組織であるべきか」ということがホットな話題になり、松竹さんの提案に対して党中央が「大人の態度」で応じれば、共産党のイメージアップにつながるのではないか、と。党首公選制の是非について、別に即答する必要なんかなかったんです。「そういう声があることを重く受け止めて、じっくりと対話したい」という程度のリップサービスだって構わなかった。それでも「意思決定プロセスの透明化」に取り組む意欲を示すことはできる。松竹さんの提議を奇貨として共産党が「開かれた、民主的な党組織」であることをアピールできる絶好の機会だと……。

白井　内田さんの期待としては、党執行部と松竹さんの間でプロレスが展開されるだろうと（笑）。

内田　そう思っていたら、いきなり松竹さんが除名されてしまった。除名というような硬直した対応をしたら世論が一斉に引いて、共産党に逆風が吹くというくらいのことはわかっていたはずなんです。でも、そういう「政治的判断」をしなかった。

白井　党首公選制や志位和夫委員長の任期が長過ぎるといったことばかりが話題になってしまって、本当の問題が覆い隠されてしまった印象です。

内田　松竹さんは党首公選制の話をきっかけにして、党の「民主化」をめぐる議論に点火しようとしたと思うのですが。

白井　しかし党首公選制以上に重要な論点として松竹さんが提起したのは、安全保障・日米安保の問題ですね。松竹さんが党中枢を去って京都のかもがわ出版に移ったのもその問題だったわけです。
『シン・日本共産党宣言』とほぼ同時に『希望の共産党―期待こめた提案』（あけび書房、2023年）という論稿集が出ましたよね。内田さんも寄稿者の一人です。実は私にも執筆依頼があったのですが、お断りしました。

その理由はしょせん私が外野だからです。自発的な結社である共産党の内部の問題についてはあまり発言をしたくないということを申し上げました。たとえば公選制について、私は必ずしも優れたものとは考えていません。それで一番いい人が選ばれるとは思えないからですが、党員でない私にはそれを表明する気がない。それで結局、お断りしたわけです。

ただ、同時期に松竹さんが『シン・日本共産党宣言』を出すというのは知っていましたから、これは勝負に出たなと感じました。松竹さんが党首公選制の提案を通じて最も主張したかったのは、端的に言うと「改憲を阻止するためにこそ、自衛隊の存在意義を積極的に認め、日米安保体制を許容すべきだ」という議論です。これは志位さんが2015年に野党共闘の中で「国民連合政府」を提案した際、「日本が武力攻撃を受けたら日米安保条約に基づく米軍の出動で共同対処する」と述べた方針と、本質的には同じであると松竹さんは述べます。一方で共産党としての説明は、日米安保を否定し自衛隊を違憲とする立場は不変であり、国民連合政府に協力する時にはこの論点を棚上げするというものです。

松竹さんの安保論には「核抑止抜きの専守防衛を確立し、対米従属の状態を脱する」という重要な続きがあります。つまり、対米従属を脱するための過程を議論しているわけです。もちろん、共産党は徹底して対米従属批判を続けてきた政党です。その意味では同じなのですが、共産党は、その過程において原則面で妥協したら対米従属批判の強度を引き下げると考えてもおかしくない。だから松竹さんの主張に対して強い拒否反応を示すことが予想されました。

松竹さんもそれは十分にわかっていたはずです。だからこそ統一地方選を控えたタイミングで勝負に出た。「まさかここでそんな無茶なことは党中央もできないだろう」と。しかしその計算が外れて、即刻除名になってしまったわけです。

今回の騒動には大きなジレンマがありますよね。要するに、日米安保の否定という無限遠点から現実を見るからこそ現状に対する鋭敏な認識と批判が可能になります。けれども、それは無限遠点である限り、決して実現しないことが前提になってしまいます。このジレンマは共産党に特有のものではありません。歪んだ対米従属の果てにアメリカのための生贄になる日本。そういう日本の運命を認識した正常な理性の持ち主すべてが直面しているジレンマなのです。

分派は革命党の永久のパラドックス

白井　共産党が党首公選制をやらないのは、公選制を導入すると必ず分派を生ずるからだと説明しています。それで分派抗争になって、組織が弱体化したり党が分裂したりする。だから公選制はしないんだという理屈です。確かに新左翼の歴史を見れば、分派するのが当たり前になるととんでもないことになるのは証明されています。新左翼、特にブント系党派の系譜図を書くと一目瞭然でして、わけがわからなくなるほど分派している。

これは革命党の永久のパラドックスでしょう。分派するぐらいの元気がなければ、到底革命党としての活力があるわけがない。しかし、実際に分派が常態化すると数量的に弱小化して弱体化する。分派をする元気は必要だけれども分派をしてはならないという革命党の永久のパラドックスは、どうにもならないものだと感じますね。

内田　一般論として、僕は「分派活動」というものには積極的な意味を見出すんです。「分派者」のことをフランス語ではdissidentと言います。「異説を立てる者」のことです。大戦間期のフランスでは王党派から分派した極右と共産党から分派した極左が分派者同士で同盟するという政治運動がありました。ジョルジュ・ヴァロワの「セルクル・プルードン」運動やティエリ・モーニェの国民革命運動などがそうです。もちろん彼らには左右の既成党派と対抗できるような政治的実力はなかったのですが、それでもそういう過激な分派活動に集まった人々の思想的・組織的実験によって、フランスの政治文化のレベルはたしかに一段階高まった。分派は現実政治のレベルではまったく非力ですけれども、政治文化にブレークスルーをもたらすことはできる。

白井　日本で言うと、新左翼系と一水会が仲よくなるようなものだ（笑）。

内田　そうです。三島由紀夫が東大全共闘に共闘を呼びかけたのも、極右と極左の分派同士の同盟というアイディアでは大戦間期フランスのそれと変わらない。ただ、日本の場合は「天皇制をどう扱うか」という難問があるので極左と極右の同盟というのは難しいんですけど。

　分派は硬直している政治的地図をシャッフルする可能性があるという点で有意義なものだというのが僕の基本的な考えです。松竹さんの活動も党を割るとか、別の前衛党を建てるとかいう話ではなく、あくまでも共産党はいかにあるべきかという議論を活性化する目的だったと思うんですけどね。

白井　分派ができていたとは言えないように見えます。

内田　松竹さんの除名処分は、共産党が国民政党として成熟していくのは難しいという印象を与えてしまいました。これは残念でした。僕はずいぶん前から共産党の選挙応援をしてきました。僕にまで声をかけてくるようになったということは、共産党もウイングを広げて、政治的な差異について寛容になったなと思っていたんですけどね。

白井　除名に関して朝日新聞や毎日新聞が共産党を批判し、それに対して志位さんが猛反発する一幕もありました。それも火に油をそそぐようなかたちになったわけです。ただ自発的な結社である以上、党首の決め方や党内の処分の仕方について、外からごちゃごちゃ言われたくないというのは、確かに一理ありますよね。特に共産党の場合、政党助成金も1円ももらっていませんから。どうするのかはすべて党員が決めることだと言われたらそれまでです。ただし、マスコミとの関係を悪化させるのは得策には見えません。

とにもかくにも痛恨だと思うのは、今は岸田大軍拡という非常に重要な文脈があるわけじゃないですか。共産党は内輪もめをしている場合ではない。私は今回の騒動の全体像としてそこが非常に残念です。松竹さんは野党共闘に期待しているがゆえに、野党共闘の再建のためには安保政策の野党間のすり合わせが必要だと考えた節があるように思います。しかし、対米従属の展望しか持っていないという点では、旧民主党の主流と自民党に大差はないだろう、と私は思ってしまうんですね。つまり、野党共闘に今やどれほどの意味があるのか、という問題です。

野党共闘より政界再編

内田　野党共闘のもう一方は立憲民主党ですが。

白井　立憲に対して、私は最近、著しく関心を失っています。誰が何を言っているのか、ほとんどフォローしなくなりました。

内田　僕も期待を裏切られました。維新と組むような政党になってしまった。これでは野党共闘は不可能でしょう。

白井　岡田克也幹事長や野田佳彦元首相が復活するわけですから、泉健太代表にもまったく期待ができません。

内田　泉代表にはこれだけは実現したいという政治的なビジョンがない。その場その場の政治的な状況変化に応じて反射的に対応するのは得意のようです。障害物を避けて、高速でバスを運転するのはうまいんだけれど「このバスはどこ行くの？」と聞いても「知らない」と答えるドライバーのような感じですね。

白井　結局、立憲民主党には軸がないのです。私は立憲ができた時から「軸は対米従属からの脱却、これしかない」と言い続けてきました。しかし、立憲の主流はそこを全く理解できない。だから私からすると自民党と大差ないのです。

内田　泉さんは「提案型」ということを言っていますが、日本の政治的な文脈において「現実的な提案」をするということは、対米従属スキームの中で政治をするということです。このスキームの中にいると「リアリスト」と呼ばれ、そこから出ようとすると「夢想家」扱いされる。でも、日本の政党の掲げるべき第一の政治的課題は「国家主権の奪還」だと僕は思う。日本は部分主権国家であるという痛苦な自覚がない政治家には日本を次のフェーズに引き上げることはできません。

白井　まったく同感です。対米従属批判及び国家主権の奪還を掲げるためには政界再編しかありません。そのことをわかっている政治家は与党、野党の中にいくらかはいます。その人たちを中核にして新しい政党を作っていかないと駄目でしょうね。

内田　政界再編はだいたい思いがけない時に、思いがけない人たちによって起こされる。それはかつての新自由クラブの場合も、新党さきがけも、民主党の場合もそうですけれど、「自民党が割れる」というかたちで起きる。

白井　しかし今、対米自立派でリーダーになれるような政治家がいません。かつては小沢一郎さんだったのでしょうが、年齢的に厳しくなってきました。

内田　分派の旗振り役が出ないのは、議員たちがみんな小粒になってしまったからでしょうね。だから、僕は地方議会の動きに注目しているんです。地方議会レベルでなら、個別の事案については、中央政界ではできないような政党間の共闘もできる。地方議会を足場にして、下から野党共闘、政界再編を積み上げてゆくということは可能だと思います。中央政界は世襲議員と元アイドルや元タレントばかり議員になって、質の低下が著しい。むしろ、地方議員の方が「こういう人に議員になって欲しい」という人を議会に送り出せるチャンスが高い。今回の統一地方選では、僕の知り合いも何人か立候補して、何人か当選しました。立候補したのは若い人、女性が多かったです。そういう人たちが自分で手を挙げて「立候補します」と言い出したのはよい兆候だと思います。

地方政治から変えていく

内田　２０２３年の統一地方選では自民党の議席ががた減りすると僕は予測していました。今回は統一教会の選挙応援が当てにできませんから、これまで当落ラインぎりぎりのところで下位当選していた自民党の地方議員たちは、落選する可能性が高いと読んだんです。統一教会問題にきちんと対応しなかったから有権者が離れたという総括になるのかなと思っていたんですけど。

白井　結局、解散命令などもないまま、ひどくうやむやなかたちで統一地方選は終わり、自民党は勝ちもしなかったけれども、負けもしませんでした。

内田　あらゆる問題がそうなんですけれども、解決を先送りしてだらだらしているうちにメディアが報道しなくなり、国民も関心をなくして、うやむやになる……というパターンで自民党はいくつもの政治危機を乗り切ってきた。統一教会についてもやることは同じだと思います。だらだら先送りしているうちにうやむやになる。

白井　田舎になればなるほど政治の世界は一種の利権共同体です。つまり、与党も野党もない。形式的にはあったとしても、だいたいみんな地元の仲間だから、そんなにひどい喧嘩をするわけにもいかないのです。

内田　地方議会だとイデオロギー的な対立が前面に出ることはあまりないですね。同じ共同体のメンバーですから。

白井　だからそこそこのところで利害調整をしますよね。いわゆる相乗りです。「みんな仲間だよね、敵対していないよね」と確認して、あとはそれなりに調整していく。それが地方政治の基本です。問題は、どんどんリソースが減ってくるなかで、調整していればよいという状況ではなくなってきたことですよね。

内田　地方政治は知事や市長が大きな権限を持っていますから、知事・市長個人の人格見識が、そこで暮らす人たちの生活の質にダイレクトにかかわってくる。僕はここ数年ある県の知事と定期的に会って県政へのアドバイスのようなことをしています。僕と哲学者の鷲田清一さんが二人で知事に提言をするというかたちなんですけれど、知事が僕たちの提言を真剣に検討してくれるチャンネルがあるのはありがたいです。

白井　それは素晴らしいですね。提言がどう政策に反映されるかが見物です。

内田　地方自治体の首長に必要なのはやはり包容力と見識ですね。そういう人が3期、4期と継続して行政のトップにいると、かなり独創的な行政ができる。たとえば、兵庫県の豊岡市長を5期務めた中貝宗治さんはコウノトリの野生復帰から始めて、城崎国際アートセンターや芸術文化観光専門職大学の開校など、文化行政の面で個性的な市政をしました。劇作家の平田オリザさんが長くアドバイザー的なことをされていましたので、僕も何度もお会いしてお話をする機会がありましたが、まことにフットワークのよい市長さんでした。

白井　中貝さんは男女共同参画の徹底的な推進でも有名ですが、もともと兵庫県職員ですよね。

内田　お父さんが県会議員で、跡を継いで県会議員になった世襲の政治家です。県議を3期やって2001年に旧豊岡市の市長になりました。

白井　2021年の市長選で落選したのには驚きましたね。

内田　やはり続けて5期20年も首長をやると、システムが硬直化するのかも知れない。

白井　難しいですね。長期政権ではどうしてもそういうことが起こります。

内田　長期間かけないと実現できない政策もあるから、一概に「多選は悪だ」とも言い切れないんですが、やはり3期くらいが限度じゃないかな。その後も自分の政策を継続して欲しかったら、後継者を在任中に育てておく必要がある。でも、能力の高い人は、人に任せるより自分がやった方が早いので、後継者を育てられないんです。

白井　自分は永久に生き続けるような気がしてしまうのでしょうね。

内田　後継者育成は組織のトップに立ったら、その時点でスタートしないとほんとうは間に合わないんですけどね。

「革新自治体」でプレッシャーを

内田　地方自治には国会議員の影響力はあまりないんです。大阪市長だった平松邦夫さんが2期目の立候補をした2011年の出陣式に呼ばれたことがあります。最初にスピーチしたのが後援会長、次が市の特別顧問をしていた僕でした。そんなに早い順番でいいのかなと思ってたんですけれど、衆参両院の国会議員の先生方は全員壇上に呼ばれて、名前を紹介されて、一礼して終わりでした(笑)。たしかにあれだけ数がいると、一人ずつ話させたら、それだけで終わってしまうから。

白井　近年、国会議員が首長になるケースが増えていますよね。たとえば、衆議院議員から世田谷区長になった保坂展人さんはもう4期目です。区政でいろいろな実績を上げたのだからまた国政で暴れてほしいと言う人もいますが、本人は全くその気がないそうです。人口約91万人の世田谷区の区長のほうが全然やり甲斐があるからと。

内田　そうです。党執行部の指示通りに立ったり座ったりするだけの「陣笠議員」だったら、やっても面白くないでしょう。それよりは地方自治体のトップにいた方がやりたいことができる。

白井　もうそこにしか希望はないかも知れない感じがあります。思い起こせば、70年代に革新自治体が増えてきた時、日本が社会主義体制になるのではないかというムードが流れました。

内田　革新自治体の下に４５００万人の住民が暮らしていると言われた時期もありました。

白井　だから自民党はプレッシャーを受けて、結局、老人医療費の無償化など革新自治体の政策をぱくっていくわけです。ちゃんと福祉をやらないと転覆させられてしまうぞと。つまり、地方自治体が良い政治をやり始めると、国のレベルでも良い政治を行なうことを強制されてくるわけですね。

内田　でも、政治に関しては、ほんとうに先行き何が起きるか予測が立ちません。高校生ぐらいの時から、日本の政治はこの先こうなるんじゃないか、ああなるんじゃないかといろいろ予想してきましたが、みごとに一つも当たりませんでした（笑）。そういうものなんですよ。政治は複雑系ですから、何か一つ事件が起きると、全部がらっと変わってしまう。たとえば、習近平が急死したら……。

白井　大騒ぎになって、大混乱です。

内田　あるいは訴追されて窮したトランプが支持者に「銃を持って立て」と言い出して、ワシントンDCで銃撃戦が起きることだって……。

白井　あまり冗談にはなりませんね……。

あとがき

内田　樹

白井聡さんとの対談本はこれで三冊目になる。白井さんは僕よりずっと若くて、「息子」と言ってもよいくらいの年齢差があるのだけれども、話していて興が乗るとなぜか同時代の友人と話しているような錯覚にとらわれる。

もちろん僕と白井さんでは経験してきたことはずいぶん違う。白井さんは50年代の日本の「共和的な貧しさ」も、60年代末の学園紛争のことも、高度成長期のアナーキーでワイルドな世情もご存じない。でも、白井さんと話していて、「ああ、この辺の経験の差が、考え方の違いに出るなあ」と思ったことが一度もない。ほんとうに一度もない。若い人と話していると必ず味わうその距離感が白井さんといるときには感じることがない。どうしてだろう。

僕は、白井さんは「生まれる時代を間違えた人」だという仮説を立てている。本書中でも言っているけれど、白井さんは60年代に大学生であったら、素晴らしく切れのよいアジテーションと「怖いもの知らず」の戦いぶりで日本学生運動史上に名前を残す活動家になっていたと思う（ご本人はそんな評価をされてもぜんぜんうれしくないと言っていたが）。

白井さんはレーニン主義者である。初めて彼に会ったときに僕は「生きているレーニン主義者に会ったのは30年ぶりです」と挨拶したことを覚えている。おそらく白井さんはマルクスやレーニンやクロポトキンやブランキを読んで、その政治的教養のベースを形成した人なのだと思うが、いまどきそんな思想形成をする若者はいない。そういう意味で、白井さんは稀有の人である。

何より僕が高く評価するのは、白井さんの変わることのない「戦う姿勢」である。白井さんは政治学者であるけれども、政治的現実を分析することと同じくらいの熱意を以て政治的現実に介入しようとする。目の前にある現実を観察し、解釈することだけにとどまらず、現実を変容しようとする。ふつうの政治学者はなかなかそこまで踏み込まない。中立的な観察者に徹することが学術的厳密性であり、党派的な立場に与《くみ》することは知性の透明性を損なうと学問の世界では広く信じられているからである。

でも、目の前で現に不正がなされていて、人が苦しんでいるときにも、学者は眼前の事実について客観的・学的に記述するにとどまるべきだろうか。拱《きょう》手《しゅ》傍観することを潔しとせず、その現実に力ずくで割って入って、不正をただし、苦しんでいる人に手を差し伸べ、犠牲者に一掬《いっきく》の涙を注ぐことの方が「人として当たり前」のふるまいだと考えてはいけないのだろうか。

白井さんは「人として」を優先する。口より先に手が出るタイプである。「なんだかわからないけれど、これは間違っている」ということが「わかる」人なのである。

『孟子』に「今、人乍《たちま》ち孺子《じゅし》の将《まさ》に井《せい》に入らんとするを見れば、皆怵惕惻隠《じゅってきそくいん》の心あり」という言葉がある。子どもが井戸に落ちそうになっていたら、思わず手を差し伸べるのが「人の心」だという教えである。孟子はそれに「惻隠の心は仁の端《たん》なり」と続けた。人間の人間性の根本をかたちづくるのはこの「思わず手が出る」ことである。子どもを助けたら子どもの親から感謝されるだろうかとか、子どもを助けなかったら朋友たちから「薄情な野郎だ」と罵《のの》しられるだろうかというようなあれこれの思量を経ての行動ではなく、「気がついたら手が出ていた」ということが尊いのである。

だから、「口より先に手が出る」ということはあるし、あって当然だと私は思っている。それが「軽率」という誹《そし》りを得ることもたぶんあるだろう。でも、白井さんはそれくらいのリスクは覚悟していると思う。

「なぜ、こんな理不尽なことが許されるのだ」という怒りがしばしば彼の言動をドライブしている。感情の絶対量の多い人なのである。だから、対談しているときでも、談たまたま「許しがたいこと」に及ぶと、白井さんの顔面には朱がさす。

「友を選ばば書を読みて、六分の侠気、四分の熱」という与謝野鉄幹の詩がある。もう今どきの人は口にすることも耳にすることもないだろうが、白井さんを見ていると、そういう明治の青年の矯激《きょうげき》と覇気を感じる。重ねて言うが、稀有な人である。

内田　樹 うちだ・たつる

1950年東京都生まれ。神戸女学院大学名誉教授、昭和大学理事。東京大学文学部仏文科卒業、東京都立大学大学院人文科学研究科博士課程中退。専門はフランス現代思想、武道論、教育論など。神戸で哲学と武道研究のための私塾凱風館を主宰。合気道七段。『私家版・ユダヤ文化論』（文春新書）で第６回小林秀雄賞、『日本辺境論』（新潮新書）で第３回新書大賞、執筆活動全般について第３回伊丹十三賞を受賞。

白井　聡 しらい・さとし

1977年東京都生まれ。思想史家、政治学者。京都精華大学准教授。早稲田大学政治経済学部政治学科卒業。一橋大学大学院社会学研究科総合社会科学専攻博士後期課程単位修得退学。博士（社会学）。著書に『永続敗戦論――戦後日本の核心』（講談社＋α文庫、2014年に第35回石橋湛山賞受賞、第12回角川財団学芸賞を受賞）をはじめ、『未完のレーニン――〈力〉の思想を読む』（講談社学術文庫）など多数。

朝日新書
920

新《あたら》しい戦前《せんぜん》

この国の〝いま〟を読み解く

2023年8月30日第1刷発行
2023年12月10日第5刷発行

著者　内田　樹
　　　白井　聡

発行者　宇都宮健太朗
カバーデザイン　アンスガー・フォルマー　田嶋佳子
印刷所　TOPPAN株式会社
発行所　朝日新聞出版
〒104-8011　東京都中央区築地5-3-2
電話　03-5541-8832（編集）
　　　03-5540-7793（販売）

ISBN 978-4-02-295228-8
定価はカバーに表示してあります。

落丁・乱丁の場合は弊社業務部(電話03-5540-7800)へご連絡ください。
送料弊社負担にてお取り替えいたします。

朝日新書

高校野球　名将の流儀
世界一の日本野球はこうして作られた

朝日新聞スポーツ部

WBC優勝で世界一を証明した日本野球。その「心・技・体」の基礎を築いた高校野球の名監督たちの哲学に迫る。村上宗隆、山田哲人など、WBC優勝メンバーへの教えも紹介。松井秀喜や投手時代のイチローなど、球界のレジェンドたちの貴重な高校時代も。

「深みのある人」がやっていること

齋藤　孝

老境に差し掛かるころには、人の「深み」の差は歴然と表れる。そして深みのある人は周囲から尊敬を集める。だが、そもそも深みとは何なのか。「あの人は深い」と言われる人が持つ考え方や習慣とは。深みの本質と出し方を、人気教授が解説。

天下人の攻城戦
15の城攻めに見る信長・秀吉・家康の智略

渡邊大門／編著

信長の本願寺攻め、秀吉の備中高松城水攻め、真田丸の攻防をはじめ、戦国期を代表する15の攻城戦を徹底解剖！「城攻め」から見えてくる3人の天下人の戦術・戦略とは？　最新の知見をもとに、第一線の研究者たちが合戦へと至る背景、戦後処理などを詳説する。

新しい戦前
この国の〝いま〟を読み解く

内田　樹
白井　聡

「新しい戦前」ともいわれる時代を〝知の巨人〟と〝気鋭の政治学者〟は、どのように捉えているのか。日本政治と暴力・テロ、防衛政策転換の落とし穴、米中対立やウクライナ戦争をめぐる日本社会の反応など、歴史の転換期とされるこの国の〝いま〟を考える。